B: ビジネス基礎シリーズ
BUSINESS BREAKTHROUGH

Consumer Behavior
消費者行動論

なぜ、消費者は
AではなくBを選ぶのか？

平久保仲人 著
Hirakubo Nakato

ダイヤモンド社

まえがき

　今、消費者行動が急速に変化している。スマホ・ネイティブのZ世代は文字に頼ることなく情報を収集する。Googleなどの検索エンジンすら利用せずに好みの服やレストランを探し出すのだ。企業はTikTokなどのショートムービーやインスタの画像なしに若者にリーチできなくなってしまった。メタバースやWeb3が一般に普及する頃には全く異なった経済圏が形成されるだろうし、ChatGPTなどの生成系AIの発達に伴い働き方すら変わってしまうだろう。

　社会的には「多様性」というバズワードが象徴するように、唯一の価値観やライフスタイルに縛られない生き方が認められるようになってきた。コロナ禍に定着したリモートワークにより遠隔地に住むことも可能な時代だ。これらの技術的、社会的変化を先取りできないまでも、変化の波に取り残されないようなアジャイルな経営判断が求められている。

　マーケティングの分野において、データ・アナリティクスやマーケティング・オートメーションなどは今や必須の技術である。膨大なデータを分析して、自動的にカスタマイズされたメッセージを配信するようなところまで来ている。「良い商品なら売れる」というマインドセットはもはや通用しない。消費者行動の分析に基づいた「琴線に触れるコンテンツ」が求められるのだ。

　スーパーに行っても、デパートに行っても同じような商品がところ狭しと並んでいる。それらが全く同じ品質で、全く同じ価格で売られているわけではないが、多くの場合、明確な差異を見つけることは困難だ。しかし、同じような商品でも大ヒットするブランドと淘汰されるブランドがある。消費者はどうしてAではなくBの商品を選ぶのだろう。

　自分の回りを見渡してほしい。机の上にあるペンはどうして買ったのか、どのようにしてそのスマホを選んだのか、なぜ他社の製品にしなかったのか、はっきりと答えられるだろうか。購入したそれぞれの製品に対して選択の明確な理由を見つけるのは難しい。機能性だけで選んだわけではない

はずだ。商品デザイン、パッケージデザイン、ブランドイメージ、企業の信頼性、価格、社会的環境、顧客の心理的特性などさまざまな条件が重なって購買意思決定に結びつく。

　消費者はどのような方法で商品選択をするのか、何が意思決定に影響を与えるのか、その法則を探ることを目的に執筆した。消費者は、理論で説明できる行動を取ることもあれば、理に適わない行動を取ることもある。しかし、一定の理論に従って顧客行動を観察・分析すれば、顧客満足に繋がるヒントが見つかるはずだ。

　本書は社会心理学の理論をマーケティングに応用し、ビジネスマンの立場で書かれている。理論とは型（フレームワーク）である。武道でも他のスポーツでも型ができて初めて技を習得する基礎が築ける。型を知らなければ型破りなこともできない。消費者行動を型にはめて分析することで、行動の分析・理解に道筋をつけるのだ。消費者行動の型が分かれば、それに対処する戦略も練りやすくなるはずである。

　最初に断っておくが、型（フレームワーク）はテクニックとはレイヤーが異なる。魚の頭をどちら向きに陳列した方がよいかとか、パッケージは何色がよいかとか、即実践に使うような指南書は目指していない。どちらかと言えば、マーケティング戦略の根幹に影響を与える内容である。筆者はこれまで消費者関連のさまざまな事業に関わって、これらの理論が実践に役立つことは身をもって体験している。本書がマーケティングに携わる皆様の参考になれば幸いである。

　最後に本書を出版するにあたり、ダイヤモンド社の高野倉氏には大変お世話になった。また、執筆のきっかけを作ってくださったボンドBBT・MBAプログラムのスタッフ並びに生徒の方々にも合わせて感謝の意を表したい。

2023年5月

著者

目次扉

『消費者行動論』

まえがき …1

第1章
消費者行動論とは何か？

1. 消費者行動論の意義 …14
顧客満足なくして企業は存続できない …14
消費者行動論とは、消費者の姿形を知るための道具 …15

2. 消費者行動モデル …18
問題を認識することから購買行動は始まる …18
消費者行動の心理的プロセス …20
消費者行動に影響を与える影響要因とは …21

第2章
個人的影響要因

1. 消費者の属性 …24
属性を知ることはマーケティング・リサーチの基本 …24
ソーシャルクラスによって、収入がどう使われるか推測できる …25

2. 購買中枢集団とは …29
商品を購入する人と使用する人が異なる場合 …29

3. 消費者の属性と使用水準、使用場面、行動範囲 …30
属性と使用水準がわかれば、新規顧客獲得を効率よく行える …30

4. ライフスタイルとマーケティング …34

ライフスタイルが購買・消費行動を左右する …34
　5. サイコグラフィックス …36
　　　"なぜ"購入するのかを教える指標 …36
　　　ライフスタイルで8つのグループに分類 …37
　　　日本のVALSは消費者を5つに分類 …40

第3章

個人的要因:パーソナリティとセルフイメージ

　1. パーソナリティの形成 …46
　　　パーソナリティで消費者を分類する …46
　　　❖ Column1 ❖ ポルシェカイエンは、なぜ生まれたのか？ …54
　2. セルフイメージ …56
　　　選択するブランドと自分のセルフイメージは一致する …56
　　　❖ Column2 ❖ 所有物は自分の分身である …58
　　　❖ Column3 ❖ SUV vs ミニバンドライバー …59

第4章

消費者関与

　1. 消費者関与とは …62
　　　関与とは、その商品に対する入れ込み度合いのこと …62
　　　服飾品は極めて関与の高い商品 …63
　　　❖ Column4 ❖ 関与度を測定するライカート・スケール …64
　2. 関与の種類（1）…65

　　　　長期関与、一時関与、認知関与、感情関与がある …65
3. **関与の種類（2）** …67
　　　　商品関与、ブランド関与、広告関与、媒体関与、状況関与 …67
4. **関与度を高める戦略** …69
　　　　商品関与の深い顧客ほど、満足度が高くなる …69
5. **関与の低い行動** …72
　　　　低関与の商品は"刺激"に反応しやすい …72
6. **関与の高い行動** …74
　　　　重要な商品ほど関与は高くなる …74

第5章 問題認識

1. **問題のタイプを把握する** …78
　　　　購買行動は問題を認識することから始まる …78
2. **ニーズとウォンツ／欲求と願望** …83
　　　　ニーズとウォンツの定義 …83
3. **ニーズの分類** …85
　　　　消費者は心理的ニーズを満たすため、より多く出費する …85

第6章 動機づけ

1. **動機づけとは** …96
　　　　動機とは、満たされていない状態を改善しようとする意思 …96
2. **心理的動機づけ** …98

高級ブランドは心理的ニーズを満たす …98
　3. **動機に関する理論** …99
　　　3つの理論 …99
　4. **商品・プロダクトとは?** …103
　　　商品には、製品やサービスが含まれる …103
　5. **商品の便益** …105
　　　顧客にとっての便益とは何かを考え、訴える …105

第7章 情報収集

1. **内的情報検索と外的情報検索** …108
　　記憶をたどるのが内的情報検索、人に聞くのが外的情報検索 …108
2. **購買前検索と継続検索** …109
　　情報量が増えるほど、知識が高まり購買に役立つ …109
3. **情報量** …112
　　購買リスクと関与度が高いほど、情報収集量は増える …112
4. **統合型マーケティング・コミュニケーションとインターネット** …115
　　ウェブサイトに引き込むことで消費者関与を高める …115
　　車、旅行から一般消費財へ広がるオンライン・マーケティング …117

第8章 学習

1. **学習論とは** …120
　　行動主義的学習論と認知学習理論 …120

2. **古典的条件づけの理論** …122

　なぜ、タバコの宣伝に美しい自然の風景が使われるのか？ …122

　条件刺激が無条件刺激より先に表れると効果が高い …124

　❖ Column5 ❖ 刷り込み効果 …126

3. **道具的条件づけの理論** …129

　報酬を繰り返し与えることが学習のカギ …129

　正の強化子と負の強化子 …130

4. **認知学習論** …133

　個人の信念、価値観、知識が意思決定に影響を及ぼす …133

5. **関与と学習** …134

　右脳的購買と左脳的購買 …134

　❖ Column6 ❖ 右脳と左脳を刺激する …135

6. **学習結果の計測** …137

　先発ブランドのほうが消費者の記憶に残りやすい …137

　予備知識のある商品は憶えやすい …138

第9章 消費者の知覚

1. **知覚・パーセプションとは** …142

　知覚とは外界からの情報や刺激を選択し、解釈するプロセス …142

　洋服の色のトップ3は赤、青、黒 …144

2. **閾値（いきち）・スレッシュホールド** …150

　三行広告の認知率はわずか26% …150

3. **情報の選択と解釈** …157

　消費者は、1日に3500もの広告メッセージを浴びている …157

第10章 消費者の態度

1. **消費者の態度とは** …164
   一度作られた態度は、なかなか変わらない …164
2. **態度の機能** …166
   態度には4つの機能がある …166
3. **ABCモデル** …169
   消費者の態度と4つのヒエラルキー …169
4. **認知的不協和** …172
   広告によって購買後の認知的不協和を解消する …172
5. **フット・イン・ザ・ドア・テクニック** …174
   小さなリクエストから始めて販売につなげるテクニック …174
6. **係留効果** …175
   第一印象が個人の態度に大きな影響を与える …175
7. **均衡理論** …176
   バランスが取れていなければ、態度が不安定になる …176
   ❖ Column7 ❖ ボーズ・サウンドドック …179

第11章 社会的要因──グループの影響

1. **グループの意味** …182
   口コミで伝わる情報のほうが影響力は強い …182
2. **消費者の社会化** …183
   社会化の3つのプロセス──模倣、強化、社会的交流 …183

3. **準拠集団** …185
   準拠集団の価値観、態度、信念が行動の基準となる …185
4. **オピニオンリーダー** …190
   消費者は自分よりもオピニオンリーダーの意見を尊重する …190

第12章

選択肢の分類

1. **選択肢の評価** …194
   数ある選択肢からどうやってひとつを選び出すのか？ …194
2. **カテゴリー分類** …195
   店側の商品分類・陳列ひとつで販売数は大きく変わる …195
3. **計画外購買** …197
   スーパーで販売される商品の60％は計画外購買である …197
4. **位置づけ、ポジショニング** …198
   ポジショニングとはブランドを消費者の目と心に印象づける作業 …198
5. **集合** …201
   3つの集合――認識集合、想起集合、検討集合 …201
   馴染みのあるブランドは想起されやすいし、好まれやすい …203

第13章

評価選択

1. **非相補的意思決定規則** …210
   非相補的意思決定規則は関与の低い商品に用いられる …210

2. 相補的意思決定規則 …216
　　他は劣っていても、ある特性が優れていれば選択される …216
　　　❖ Column8 ❖ ニューヨークでのアパート探し …219
3. ヒューリスティックス：安直な方法 …220
　　手っ取り早く意思決定するための近道 …220
　　　❖ Column9 ❖ サントリー伊右衛門はなぜヒットしたのか? …222
4. 意思決定の不合理性 …225
　　低価格だからといって顧客が喜ぶわけではない …225
　　　❖ Column10 ❖ 価格の心理的作用 …226
　　　❖ Column11 ❖ 知覚を利用した価格戦略 …228

第14章 購買と購買後評価

1. 期待不一致モデル …232
　　ポジティブな感情が顧客ロイヤリティに結びつく …232
　　　❖ Column12 ❖ 品質を評価する尺度 …236
2. 満足した客と不満足な客 …237
　　1人の不満足は66人に伝播する …237
3. リレーションシップ・マーケティング …242
　　ブランドを内在化させる最後の手段は人 …242

あとがき …244

第1章

消費者行動論とは何か?

あなたは顧客がどのような行動を取るか
考えたことがありますか?

1 消費者行動論の意義

顧客満足なくして企業は存続できない

　企業の第1の目的とは顧客満足である。長期にわたって顧客を満足させることができなければ、繁栄はおろか生き残ることさえ不可能だ。満足した顧客が企業に利益をもたらすのである。企業の"生きる糧"を得るための顧客満足だが、これを達成することがますます難しくなってきている。もの余りの時代に、消費者の欲求はますます多様化し、「よいものをより安く」という切り口で訴求することが困難になったのだ。商品が壊れないのは当たり前、機能満載、安くて当たり前なのである。

　携帯電話、PC、航空券、各種家庭電気製品など、ありとあらゆる商品が、品質と価格を反比例させながら商品価値を高めてきた。それで消費者の満足度が高まっているのかというと、皮肉なことに全く逆の結果が現れている。2004年のアメリカ顧客満足統計（The American Customer Satisfaction Index）によると、顧客の満足度は10年前と比べて74.8から74.4ポイントへと下降している。

　高品質、低価格に慣れきってしまった消費者は、多少の向上に満足するどころか、逆に宅配便の配達が数時間遅れただけでご立腹である。翌日配達だけでも革命的だったのに、それが当たり前になった。消費者の基準が上がってしまったのだ。消費者の満足度を高めるには、別の角度からビジネスを見直さなければならない。ちなみに最高得点90を獲得した会社は、ハイテクともサービスとも密接に関連していないケチャップメーカーのハインツ（H.J. Heinz）だった。

　これでは何のための企業努力か分からない。激しい競争に煽られて毎年

何百種類ものソフトドリンクやカップ麺が発売されるが、それで売り上げが伸びるわけではない。これでは、社員が疲弊するばかりだ。もっと、焦点を絞った商品にじっくり取り組むような姿勢がのぞまれるのかもしれない。

消費者行動論とは、消費者の姿形を知るための道具

　筆者のクラスにひとりのトルコ移民がいた。今ではニューヨーク郊外に家を構え、BMWに乗る上場企業のマネジャーだ。彼女が小学校に上がって間もないある夜、お母さんが一足の赤い靴を買って仕事から帰ってきた。それが嬉しくて嬉しくて、その靴を一晩中抱いて寝たそうだ。しかし、「今では何を買ってもこのような喜びを感じることはない」とも言っていた。飽食の時代に生きる我々の心を代弁しているのではないだろうか。

　配達が遅れたら不足に思うが、時間通りに配達されても感謝することはない。何でも持っているので、何を買っても嬉しくない。確かにテレビを3台持っていたら、4台目を購入してもそれほど嬉しくはないだろう。50年前の消費者なら、初めてテレビを購入したときは、さぞ嬉しかったに違いない。しかし、これが現代に生きる一般消費者の姿なのである。与えられれば与えられるほど、次の刺激はさらに大きくなければならないのだ。アメリカに住んでいるとこれを実感する。ミドルクラスの居住地でも、新築される家はどれも図体が大きくなり、数十年前に建てられた回りの家屋とはかなりミスマッチだ。家に入れば60インチのプロジェクションテレビがあり、ジャグジーがある。ガレージに収まる車も「ハマーH2」や「キャデラック・エスカレード」など戦車のような大型SUVが多い。人間の欲はとどまるところを知らない。

　しかし、同じアメリカ人がトヨタのハイブリッドカー、プリウスに群がったり、家の電球を省エネタイプに交換したりもする。今日、消費者は何を求め、何を考え、何をどのように購入しようとしているのか。もの余りの時代にそれを予測することは困難を極める。

　確かに世の中を見渡せば、高齢化による介護ビジネス、飽食の時代を代

弁するようなラグジュアリー・ビジネス、不健康なライフスタイルを中和させる健康関連ビジネス、もの余りの市場で行き所を失ったお金が向かうエンターテインメント・ビジネスなど、大きな潮流は見えてくる。しかし、それぞれの分野で消費者が何を望み、いつ・どこで・どのように購買や消費を行っているのかと聞かれれば、明確な答えを探すのは難しい。

　例えば介護ビジネスに参入しようと考えても、肝心の対象となる消費者の行動や思考が理解できなければ、商品企画も価格設定も、プロモーションも何も企画できない。長年、その世界でビジネスを展開している企業でさえ、顧客に関しては知らないことのほうが多い。

「ブラインドマンとエレファント（The blind men and the elephant）」というインドで伝えられる挿話がある。マーケターが好んで使う話だ。1人目の目の不自由な男は、象の体に当たって「壁のようだ」と言った。牙を触った2人目の男は「槍のようだ」と言った。長い鼻に触れた3人目の男は、「象はへびみたいだ」と感じ、4人目の男は足を触って「木のようだ」と思った。五人目は耳に触れて「大きなうちわのようだ」と言い、最後の男は尻尾を掴んで「ロープのような生き物に違いない」と言った。もちろん、正しい答えを持つ者はひとりもいない。

　このように手探りの状態で事業展開を強いられることは珍しくない。本書のテーマである消費者行動論とは、手探りの状態にひとつの道筋をつける手段である。消費者の耳や鼻だけでなく、全体の姿形を知るための道具なのだ。消費者行動とは、消費者がニーズ・ウォンツ（欲求・願望）を満たすために行う選択・購買、使用、処分のプロセスであり、それぞれの枠組みを理解するのが本書の目的である。つまり、購買行動だけでなく、どのように使用し処分するかまで含めて考えなければならない。

　多くの企業は、顧客の属性（収入、学歴、職業、年齢、住所など）を頼りに戦略を組み立てる。しかしそれだけで十分でないことは自明である。例えば、ルイ・ヴィトン、メルセデス・ベンツSクラス、ブルーマウンテン・コーヒーなどの高級品と一般量産品の間に、コーチ、Cクラス、スターバックスなどのニュー・ラグジュアリー（new luxury）あるいはアフォーダブル・ラグジュアリー（affordable luxury：入手可能な贅沢）と呼

ばれるマーケットが形成され、急速に拡大している。しかし、これらの客を属性で抽出することは極めて困難なのだ。

GAPのTシャツにプラダのバッグとか、ジーンズにローレックスの時計などといういでたちは珍しくない。高級デザイナーズブランド本店には若い女性が押し寄せるし、金持ちがディスカウント店で買い物をする。ビジネス・ウィーク誌によれば、アメリカで年間20万ドル以上の収入のある消費者が最も頻繁に訪れる店はホーム・デポ（Home Depot）、コストコ（Costco）、ウォルマート（Wal-Mart）、ターゲット（Target）である。金持ちは高級デパートで買い物をするという固定観念は通用しないということだ。

本書では、職業、学歴、収入、性別など消費者の属性以外にも、消費者行動に影響を与える要因を順を追って説明する。

2 消費者行動モデル

問題を認識することから購買行動は始まる

　消費者行動を図１のフレームワークに当てはめて説明しよう。まず、消費者行動（購買プロセス）は問題を認識することから始まる。消費者の問題とは、例えばプリンターのインクがなくなったとか、家のテレビは画像が悪いとか、車を買ったので車庫が必要とかがある。消費者は製品やサービスでこれらの問題の解決を図るのだ。

　消費者は購買意欲が高まったところで情報検索を始める。自分の記憶をたどることも情報検索活動のひとつである。高額商品、あるいは購買リスクの高い商品であれば、新聞、雑誌、インターネットなどで詳細な情報を求めるだろうし、店舗で実際に商品を試すかもしれない。また、関心のある製品であれば、購買意欲がなくても情報検索を継続的に行うだろう。例えば、音楽雑誌や自動車雑誌を定期購読することがそれに相当する。

　次に、情報収集・分析が済んだら、選択肢を評価し購買すべきブランドを選ぶ。意思決定のモデルは13章で詳しく紹介する。ブランドの選択と共に店舗の選択も行われる。購買時には、店員の態度や身だしなみ、店舗の雰囲気、商品構成とディスプレイなどが選択や購買額に影響を与える。また、他の客の存在もムードや気分を刺激するだろう。

　消費プロセスの最後のステージが、購買後の商品評価だ。ここで満足が得られなければ、忠実な顧客とはなりえない。満足させても、積極的にリレーションシップを結ぶ努力をしなければ、客は他に流れてしまう。同じような商品が市場に溢れていることを忘れてはならない。顧客に満足を与えるとともに、顧客維持の努力も重要なのだ。時として、客は購入した商品が正しい選択だったのか他によりよい選択があったのか、不安になるこ

図1◎購買プロセスと購買に伴う消費者の心理的プロセス

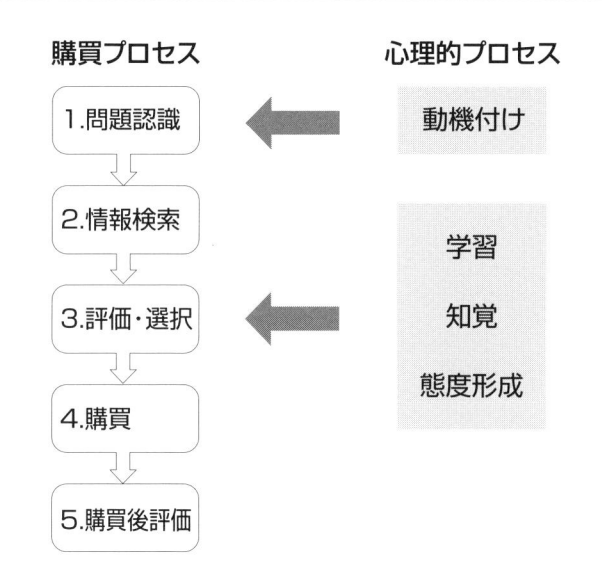

購買プロセス

1. 問題認識 ← 動機付け
2. 情報検索
3. 評価・選択 ← 学習／知覚／態度形成
4. 購買
5. 購買後評価

心理的プロセス

- 動機付け
- 学習
- 知覚
- 態度形成

とがある。このような客を安心させることもマーケターの重要な課題なのである。

　もちろん、全ての購買がこのプロセスを経るわけではない。家や車など大型商品であれば、情報検索、選択評価に数週間単位の時間を費やし、幅広い選択肢の中から購入する商品を決定するだろう。一方、日常生活品であれば、家探しのような購買行動を取っていたら時間がいくらあっても足りない。情報検索も棚に並べてあるパッケージの説明を読むくらいでとどまるはずだ。いつも買い慣れたブランドがあるなら、何も考えずにその商品を手に取るだろう。さらに衝動買いであれば、購買行動は一瞬で全てのプロセスが完了してしまうのだ。上記のモデルは消費行動の雛形である。読者のみなさんの顧客はどのような行動を取るのか、顧客を観察して、図1で示されたプロセスを元に独自のモデルを構築してほしい。

消費者行動の心理的プロセス

購買プロセスに並行して、購買者は心理的にもいくつかのプロセスをたどる。例えば、同じ商品を購入するにしても、客にとって動機が異なる場合がある。高級ブランド品であれば、その品質を求める客と、プレステージ性やステータスなど心理的欲求を満たすために購入する客がいるだろう。

また、消費者は商業的刺激にさらされたり、商品を使用したりすることで学習し、その情報を脳に記憶するが、その学習法にもいくつかのタイプがある。スペックや性能を表す数字を客観的に分析したり、経験によって学んだり、あるいは刺激を繰り返し与えられることでも学習する。製品によって異なる学習法を取るのだ。

もう一つ、心理的プロセスに知覚がある。知覚とは五感から取り入れた情報を、脳で解釈する過程である。例えば、「赤の車はスポーティ」とか「60万円のテレビは高い」と感じるのは知覚なのだ。学習によって赤の意味、60万円の価値を感覚として身につけているのである。消費者の知覚はブランド選択を大きく左右する。例えば、製品が高品質であることは顧客満足に欠かせないが、購買を促すには消費者に高品質である事実を知覚させることも重要なのだ。

情報分析、学習、知覚のプロセスを経て、消費者に態度が形成される。消費者には、商品に対する態度、ブランドに対する態度、店・店員に対する態度と、さまざまなレベルで対象物に対する意見や信念がある。「タバコは健康に悪い」「トヨタは信頼性が高い」「ノードストロームはサービスがよい」などが消費者の態度・信念である。一度作られた態度はなかなか変えることができないので、企業には緻密なコミュニケーション戦略が求められる。

消費者行動に影響を与える影響要因とは

　このような購買プロセス・心理的プロセスをさらに複雑にしているのが、影響要因の存在だ。問題認識から購買に至るまでの間にさまざまな要因が選択に影響を与える。影響要因は、商業的刺激、個人的要因、社会的要因の3つに分けられる（図2参照）。

　まず、消費者は継続してさまざまな媒体から商業的刺激を受ける。それらの刺激にはテレビ広告や新聞、雑誌に載せられる記事、棚に並ぶ商品のパッケージ、商品自体、価格などが含まれる。

　個人的要因には、個人の属性、セルフイメージ、ライフスタイル、パーソナリティ、あるいは購買する商品に対する関与度などがある。また、行動変数となる商品の使用頻度・使用場面も商品選択に大きな影響を与える。

図2◎影響要因

商業的刺激	個人的要因	社会的要因
・広告	・属性	・準拠集団
・商品	・行動	・オピニオンリーダー
・パッケージ	・ライフスタイル	・カルチャー
・価格	・パーソナリティ	・サブカルチャー
・販売店	・セルフイメージ	・テクノロジー
・ディスプレイ	・関与	・政治・法律
・店員		
・他の客		

もうひとつの影響要因が社会的要因である。社会的要因には、個人を取り巻く家族、友人、同僚、あるいは有名人や専門家などのミクロ環境がある。広告の文句は信用しなくても、身近な人の言うことを鵜呑みにしてしまうのが消費者なのだ。また、マクロ環境では、社会の変化、文化、サブカルチャー、技術の進歩なども消費者行動に影響を与える。

　冒頭に、どうしてAではなくBを選ぶのかを探ると述べたが、一言で「売れる商品とはこれだ」とは言えないのである。消費者がブランドを選択するまでには、複雑なプロセスを経て、実にさまざまな要因が影響している。それらひとつひとつを精査し、これまで満たされなかった顧客の要望、他社が見逃していた顧客の特性を見出すことで、新たなマーケティングのヒントが見えてくる。

　多くの場合、AもBも品質や価格に大きな差はない。棚に並ぶ商品は9割方同質、同等である。消費者心理に訴える残りの1割、あるいは数％で明暗が分かれる。消費者自身、どうしてAでなくBを選んだか明確な答えを持たないのではないだろうか。

　しかし、その数％が商品を差別化し、より大きな顧客価値を創造するから、顧客のきめ細かな分析が求められるのである。その数％は商品の色かもしれないし、気の利いたサービスかもしれない。ブランドのポジショニング、それに伴った宣伝コピーやパッケージデザインかもしれない。品質、価格、納期などのハード要因が拮抗していれば、店員の態度や店の雰囲気、パッケージなどのソフト要因で差別化を図らなければならないだろう。

　消費者・顧客行動を理解すれば、商品を魅力的にするヒントが見えてくる。本書では、合理的側面・感情的側面の双方に焦点を当てて、消費者分析の道具となるさまざまな理論・コンセプトを紹介していく。これらの道具を利用してAとBの違いを明確にしてほしい。

第 2 章

個人的影響要因

あなたは顧客の属性、行動、ライフスタイルを
研究したことがありますか？

1 消費者の属性（Demographics）

属性を知ることはマーケティング・リサーチの基本

　問題認識から購買後評価まで、消費者行動の過程においては実にさまざまな要因が消費者行動に影響を与える。最初に、個人的要因の属性と行動について説明したい。属性で全ての購買を理由づけすることはできないが、属性で購買行動が測りにくくなったからといって、属性を調べなくてもよいという理由にはならない。購買者の属性を知ることは、マーケティング・リサーチの基本である。

　例えば、購買者の可処分所得は、選択するブランドや商品、余暇の過ごし方を限定する。他にも年齢、性別、学歴、職業、居住地などが、購買に影響を与える要因となる。

　職業と消費行動の関連性を示す例がある。万年筆は医者と弁護士によく売れる。一方、アメリカンフットボールのファンは、野球のファンに比べてブルーカラーが多い。また、管理職やプロフェッショナル職に就く消費者にはバケーションの需要が高い。数年前のハイテクバブル時には、ポルシェボクスターとハーマンミラーのアーロンチェアといえば成功者のステータスシンボルであった。

　学歴がわかれば、書籍、雑誌、音楽などの嗜好を推測することが可能である。消費者が住む居住地も影響を与える。高級住宅地と市内の低所得者住居に住む消費者では当然、消費行動も嗜好も異なる。同じ金持ちでも、郊外に家を構える消費者と、市街地のコンドミニアムに住む消費者ではライフスタイルに大きな差があるはずだ。次にソーシャルクラスについて述べよう。

ソーシャルクラスによって、収入がどう使われるか推測できる

ソーシャルクラス

　ソーシャルクラスとは、年収、学歴、職業、居住地などの要素を評価軸にして、消費者を分類することである。ソーシャルクラスは収入によって決まると勘違いをする人が多いが、収入はソーシャルクラスを決める一面に過ぎない。収入がわかっても、それをどのように使うかの手がかりにはならない。もちろん、年収300万円クラスの消費者にロールスロイスは売れないだろうから重要な要因には違いないが、年収や財産だけでは、単に購買力の有無しかわからない。教師とトラックドライバーや配管工が同じ収入だとしても、余暇の過ごし方や嗜好は大きく違ってくるし、購買する商品も異なる。企業は消費者がエンターテインメントにいくら出費するかを知りたいのではなく、オペラコンサートに出かけるのか、プロ野球観戦に行くのかが知りたいのだ。

　ソーシャルクラスで消費者を分類する目的は、それぞれのクラスに属する消費者のライフスタイルを予測することである。ライフスタイルがわかれば、その人の購買志向を推測できる。例えば、アッパークラスなら週末に美術館に行ったり、バレエを鑑賞したり、美術品に投資したりする。ワーキングクラスなら比較的長時間テレビを見るし、ゴシップ誌などもよく読む。同じような可処分所得でもミドルクラスのほうがワーキングクラスより、家具や部屋の装飾により多く出費する。ステレオタイプ（偏見）のようだが、これらは統計的に証明された行動である。ソーシャルクラスによって、収入がどのように使われるかを推測できるのだ。

　ソーシャルクラスを決める一番重要な要素は職業である。同じ職業に就く消費者は、可処分所得、ライフスタイル、価値観、知識などが似ていることがわかっている。次の要素が学歴だ。医者、弁護士、教師、技師など特定の職業に就くためには、特定のトレーニングを受ける必要がある。それゆえに、職業と学歴は密接に関連している。アメリカでは66％の大学、

大学院卒業生は、管理職か医者、弁護士、教師、会計士などの専門職に就いている。また、フォーチュン100社（フォーチュン誌が選ぶ世界上位100社）の42％のCEOはMBAを所持しており、フォーチュン500社のトップエグゼクティブの20％はハーバード大学出身者なのだ。当然、管理職や専門職に就く人材は収入も高いという相関関係がある。2002年現在、アメリカにおいて大卒の平均生涯年収は250万ドルになり、これは高卒より90％も高い収入となっている。1979年にはその差は40％だったのだから、所得格差はますます広がっているのだ。

　他の要素として消費者の住所がある。アメリカでは、住所によって住人の社会的背景がかなり類似している。例えば、多くの日本人の駐在員はニューヨークの郊外にあるウエストチェスター郡に家を構える。全米でもトップクラスのスカースデール高校には、かなり多くの日本人学生が通うのだ。ブルックリンの海岸沿いには旧ソ連から移住してきたユダヤ系住人が多く住むし、ニュージャージーのパリセードパークは韓国街と化している。クラリタス社（Claritas Inc.）は、全米の郵便番号を住人の職業、収入、家屋の価値などにより、最も裕福なブルー・ブラッド・エステート（Blue Blood Estate）から最貧困層であるパブリック・アシスタント（Public Assistant）まで、62のカテゴリーに分けた。これはPRIZM（Potential Rating Index by Zip Market）と呼ばれ、多くの企業が活用している。例えば、ZQ3（Zip Quality－郵便番号の質指数）、つまり上から3番目のクラスターに当たる"毛皮とステーションワゴン層（Furs & Station Wagons)"の消費者は、カントリークラブに属し、ワインをケースで注文し、グルメ雑誌を購読し、BMWの5シリーズに乗り、オーガニック食品を購入する傾向があるという。逆にその層は、オートバイ、タバコ、缶スープ、シボレー・コルベット、狩りなどには全く関心がないし購買もしない。郵便番号でいえば、75075（Plano, TX：プラノ・テキサス）、30338（Dunwoody, GA：ダンウッディ・ジョージア）、20192（Needham, MA：ニーダム・マサチューセッツ）などがこのZQ3に含まれる。[i] このような情報は、通販カタログやDMの送付、店舗選定などさまざまなマーケティング活動に極めて有効な道具となる。

表1◎各ソーシャルクラスのライフスタイル

クラス	特　　徴
貴族的裕福層	アメリカにおける貴族的裕福層とは、19世紀後半から20世紀初頭にかけて巨万の富を築いたデュポン家、バンダービルト家、ロックフェラー家、フォード家などの末裔である。人口の1％に満たないグループであり、企業が積極的にマーケティングを展開する対象とはならない。 自ら教養があり、政治・社会問題に敏感であると認識し、観劇、読書、旅行、美術品の収集、慈善事業への寄付などを活発に行う。 買い物や服装の好みは保守的であるが、宝石、住宅、家具などは高級品を所持し、子供を名門校に通わせる。 彼らの消費行動は他の階層に模倣される。
ニューリッチ層	高級ブランド品や豪邸、あるいは高級車、ヨット、自家用ジェットなどの贅沢品を含む「ステータスや財力を誇示する商品」を好んで購入する傾向がある。俗に成金と呼ばれるような消費行動を起こす消費者が多い。 社会活動や市民運動に熱心である。投資、貯蓄も活発に行う。 メイド、ベビーシッター、庭師、会計士、弁護士、ファイナンシャルプランナーなどサービスへの出費が多い。
中流の上・専門職層	巨万の富は持たないが、医者や弁護士をはじめとする専門職、実業家、経営者などのキャリアを持つ層である。人口の12％を占める。 仕事熱心でキャリアを大切にする。正義感が強く、市民意識、政治意識が高いのが特徴である。また、家庭を大切にし、子供にとってよいことをしようとする。教育にはお金をかける。 嗜好はアッパークラスをお手本とし、カントリークラブに所属したり、ベンツやジャガーなどの高級車を所持したりする。 全てを高級店で購入するわけではなく、メーシーズなどの中流デパートにも足を運ぶ。価格には敏感であり、商品に関する情報収集も行う。

中流階層	ホワイトカラー労働者であり、高卒か大学中退者が多い。中にはブルーカラー労働者も含まれる。人口の32%がこの層に属する。 正しいこと、子供にとってよいことをしようとする信念を持つ。政治的にはリベラル（革新派）であり、宗教的には熱心な信者というわけではない。アメリカでは典型的な民主党の支持層である。 平均的な収入を得、治安のよい地区に住んでいる。多くは、優秀な学校がある地域にきれいな家を建てるという目標を持つ。 流行を追いかける傾向があり、人気商品を購入しようとする。ブランドには敏感であり、ファッショナブルであろうとする。家財道具にもそこそこの出費をする。 上流階級の消費行動をお手本にしようとする傾向がある。ゴルフやテニスを楽しみ、25%は輸入車に乗る。また、旅行、観劇、生涯教育にもお金をかける。
労働者層	ほとんどがブルーカラー労働者である。労働組合員である場合が多い。アメリカ人口の38%を占める。所得は平均的であるが、典型的な労働者階級のライフスタイルを送る。 地元意識が強く、地元のプロスポーツチームや学校を応援する。また、地元の店を贔屓にする。余暇は自分の街で過ごし、出かけても2時間以内で行ける所にドライブする程度である。テレビの視聴時間が長く（メロドラマ、クイズ、コメディをよく見る）、新聞、雑誌は芸能ゴシップを好む。 保守的で変化を嫌い、多くは外国車に拒否反応を示す。男女の役割や男性像、女性像にも古臭い考えを示す。
貧困層	人口の16%を占め、単純労働に従事するか、生活保護を受ける層。アメリカでは700万人がホームレスである。

出典：Wayne D. Hoyer and Deborah J. MacInnis, *Consumer Behavior* 3rd ed., Houghton Mifflin Company: Boston (2004), pp 345-349. Richard P. Coleman, "The Continuing Significance of Social Class to Marketing," *Journal of Consumer Research*, December 1983, pp. 265-280.

2 購買中枢集団（Buying Center）とは

商品を購入する人と使用する人が異なる場合

　消費者行動を複雑にしているのが、購買者（buyer）が必ずしも利用者（user）ではないという事実だ。さらに、お金を支払うスポンサー（payer）が、別に存在する場合もある。それぞれの役割、購買に与える影響、選択基準の違いなどを理解しなければ、的外れなマーケティング活動を行うことになってしまう。

　玩具の場合、使うのは子供でも、買うのは親である。となれば、親の価値観が購買に影響を与えることも十分に考えられる。学習効果のある玩具が売れるのは、そのような理由によるのではないだろうか。さらに祖父・祖母がスポンサーになることも多いだろう。彼らを意識したプロモーションも必要になってくるはずだ。

　アメリカでは車の購買者は過半数が女性である。この中には主婦も多く含まれるはずだ。つまり、家庭での意思決定に対する女性の影響力を無視することはできない。子供の意見も大いに尊重される。子供はメディアに接する時間が長いので情報提供者の役割を果たすのだ。

　企業の購買中枢集団なら、構成はもっと複雑になる。実際に交渉をする購買者以外に、製品を使用する利用者、予算の決定権を持つマネジャー、最終的な意思決定をする上司、技術的アドバイザー、情報検索をする社員など、購買中枢集団にはさまざまな役割担当が混在する。

　各者の役目をしっかり把握して、それぞれのニーズに合ったマーケティングを行うことが極めて重要である。

3 消費者の属性と使用水準、使用場面、行動範囲

属性と使用水準がわかれば、新規顧客獲得を効率よく行える

A. 使用水準

　最近のマーケティングの潮流として、顧客の属性を探るより行動を分析することが重視されている。顧客行動の中でも最も計量化しやすいのが、消費量、使用頻度だろう。例えば、ヘビー・ユーザー、ライト・ユーザーとその中間に位置する標準的ミドル・ユーザーでは、消費行動が大きく異なる。毎日晩酌をする人と付き合いでたまに飲む人では、購買量はもちろん、好みも酒に対する考え方も違うはずだ。年に数回しかプレイしないゴルファーと、週に何度もプレイするゴルファー双方に魅力的なマーケティングミックスというのも考えにくい。前者が道具に大金を使うことはないだろうし、頻繁に練習場に通うこともないだろう。旅行でも、頻繁に出かける人と、ほとんど出かけない人では、購買・消費行動が大きく異なるはずだ。

　ユーザーの属性とそのユーザーの使用水準がわかれば、新規顧客獲得を効率よく行うことができる。例えば、アメリカにおいてビール消費高の80％は20％の客がもたらしている。また、ファストフード業界では、20％の客が60％の売上げに寄与する。そして、これら20％の顧客は30歳以下の独身男性、ブルーカラーワーカーでロックなど激しい音楽を好むことがわかっている。このようにターゲットと嗜好がわかれば、戦略も練りやすい。

　ただし、パイの一番大きなセグメントは競争も激しいことを忘れてはいけない。大きな池に飛び込めば、そこに住む大きな魚に食べられないとも限らない。一番大きなセグメントに参入すれば、成功の確率が高くなるわ

けではない。こんな例がある。以前、マクドナルドとの決定的な違いはフライドポテトにあることをアンケート調査でつきとめたバーガーキングは、そこで＄1億かけたキャンペーンを大々的に行った。同社のフライドポテトを売り込んだのだ。その結果、売上げは増えたがシェアは逆にマクドナルドに奪われるという皮肉な結果に終わってしまった。つまり、フライドポテト市場が拡大し、自社の増加分以上にマクドナルドに行く客が増えてしまったわけだ。敵に塩を送ったということだ。たとえ品質で勝っていても、一度植え付けられた消費者の印象を変えることは簡単ではないのである。

逆に言えば、刷り込みをすることはプロモーションの重要な役割なのである。

B. 使用場面（Occasion）

商品をいつ使うのかも消費行動の重要な一面だ。使用場面に関する例を挙げよう。アメリカ人はオレンジジュースを朝食時に飲むが、フランス人はリフレッシュメントとして1日中飲む。また、日本では朝からサラダを食べるが、アメリカで朝からサラダを食べることはまずない。オレンジジュースのメーカーは「健康に良いオレンジジュースを清涼飲料水の代わりに飲んだらいかがですか」と提案すれば、フランスのように1日中飲んでもらえる商品になるかもしれない。しかし、アメリカ人に、朝からサラダを食べさせるのは困難に違いない。食習慣ほど変えにくいものはないからだ。消費者の態度（attitude）については10章で説明する。

使用場面を販売に利用する商品の代表はグリーティング・カード（greeting cards）だろう。誕生日、母の日、結婚記念日、クリスマスなどさまざまな場面を想定してデザインされている。日本では企業が、バレンタインデーは女性が男性にチョコレートを贈る日と定義し、さらに、ホワイトデーという日を商業的に作り出し、販売の機会を増やしている。

例えば、こんなケースもある。ある会社が、アフリカの村など電気も電池もないところで使える小型手回し発電機つきのラジオを開発した。この

会社は同製品をアメリカでも販売しようと企画した。もちろん、アメリカでは電気のない家などない。そこで、この製品に懐中電灯をつけて、緊急用として売り出したのだ。電気のないところで使える、という同じ便益をもたらす商品だが、日常用／非常用と使用場面をかえれば、全く環境が異なる市場でも販売できるのだ。

　使用場面の"いつ"をうまく使った商品に、アサヒ飲料の「モーニングショット」がある。この商品を"朝飲むコーヒー"と位置づけたわけだ。商品自体は他社製品とそれほど差異があるとは思えないが、この新鮮な切り口でモーニングショットは多くの顧客を獲得した。キリンビバレッジの「午後の紅茶」も同じようなコンセプトである。「ドライバー」という運転時に飲むコーヒーも売り出されている。マーケティングに時間軸を持ち込んで差別化を図ったわけだ。

　これはゲーム感覚というか、冗談半分の商品であるが、東京・新宿のデパートなどで、「何々の時に飲むお茶シリーズ」という独自ブレンドのハーブティーが人気を呼んでいるそうだ。「コンピュータで目がウサギの時に」「モンローのようにキュッとなりたい時に」「嫌いな上司に叱られた時に」「ワガママな部下にまいってしまった時に」など30種類の銘柄がある。

　使用場面を限定させて成功した例とは逆に、コニャックは食後酒、シャンパンは祝い酒と位置づけられたため、使用頻度の低い商品となってしまった。各洋酒ブランドは他の使用場面を提案して、売上げを伸ばそうとしている。女性を対象に、割ってカクテルにして、パーティやクラブで飲むことを盛んに宣伝しているのだ。

C. 行動範囲

　一体、顧客はどこで購買／消費行動を起こしているのだろうか。例えば、アメリカには朝食を車の中で取るという人が多くいる。そのため、車を運転しながら食べやすいメニューを揃えるファストフードレストランがある。ミルクシェイクの中にフルーツを入れて、さらに飲みやすいようにストローを太くし、"健康的ミルクシェイク"として売り出したのだ。ミル

クシェイクを朝食代わりにするというのは、日本人にはちょっと受け入れられにくいコンセプトだが、同店のヒット商品となった。

　また、アメリカでは多くの銀行がスーパーやディスカウントストア内に支店を構える。スーパーやディスカウントストアならある程度の来店者数を確保できるので、新規の顧客を開拓することもできるだろうし、既存の客にとっても利便性が増す。ＡＴＭに至っては、小さなパパママストアや食堂でさえ小型端末を備え付けている。犬も歩けば棒に当たるくらいユビキタスになっているのだ。

　他の例を挙げれば、清涼飲料水は飲まれる場所によって、缶入りから２リットルのＰＥＴボトルまで、さまざまなパッケージが用意されている。また、卓上で使われるデスクトップＰＣと持ち歩くノートブックＰＣでは、形も機能も異なる。商品はどこで購入され、どこで使われているのかを探ることも極めて重要なのだ。

　このような消費者の行動を知るために、多くの企業はフィールド・リサーチを行っている。郵便や電話によるアンケート調査ではなく、実際に製品を使用している人を観察するのだ。ある消費財メーカーでは消費者がどのようにカーペット掃除をするのか、何軒もの家を訪ねて観察し、キッチンでの行動を見るためにビデオカメラを設置した。トヨタはピックアップトラック、ツンドラを開発するに当たり、全米を走り回りドライバーがどのような乗り方をし、車内で何をするのかつぶさに観察した。その結果、手袋をしたままスイッチを操作しやすくしたり、車内でラップトップＰＣを使いやすくしたり、細かなところまで行き届いたデザインをしたのだ。

　最近ではエスノグラフィー調査が盛んに行われている。アンケート調査で得られる情報は被験者が答えられる範囲に限られる。そこで、消費者の行動をつぶさに観察したり、インタビューを繰り返したりして本人が気づかないニーズを探り出すのだ。例えば、レストランの客がバッグの置き場所がないのに困っているとする。その客にとっては、どこにいっても気の利いたバッグを置くスペースなどないから当たり前のことになっており、何か困ったことはありますかと質問しても答えられないのだ。その行動を観察することにより、テーブルの下に棚を備える改善案が導き出されるのだ。

4 ライフスタイルとマーケティング

ライフスタイルが購買・消費行動を左右する

　つい最近まで、貧富の差や住む地域によって購買・消費行動は大きく異なったが、今では中流階級でも高級品を身につけたり、クルーズやゴルフ、テニスなどを楽しんだりしている。欧米では、ごく普通の中流階級の消費者でも、家にプールがあったり、ヨットを持っていたりすることは珍しくない。つまり、属性よりもライフスタイルが購買・消費行動を左右するようになったのだ。

　ライフスタイルとは、個人の価値観とパーソナリティを明示する具体的な行動であり、ライフスタイルが購買・消費行動に与える影響は計り知れない。ライフスタイルは、個人が収入や時間をどのように使うかを決定するのである。

　逆に言えば、購買・消費する製品やサービスがその人のライフスタイルを示し、価値観やパーソナリティを代弁しているのである。ライフスタイルの研究は、企業にとって極めて有意義なマーケティング活動なのだ。個人的属性よりライフスタイルを使ったほうが、より意味の深い分析が可能になるのである。

　団塊の世代が2007年から定年を迎え、シニア層が企業の注目を集めている。年齢で括れば市場の細分化はしやすいが、企業は一歩踏み込んで団塊の世代を更にライフスタイルを元に幾つかのグループに分けてはどうだろう。彼らはただのシニアではない。金と時間に余裕があり、教育、旅行、観劇、外食、スポーツなどにその多くを費やす。また、ファッションや美容、健康にも敏感だ。ＰＣをはじめとするデジタル機器にも抵抗がない。まだまだ現役という意識も強いだろう。これらの活動的なシニア向けの雑

誌やウエブサイトを最近数多く目にするようになった。メディアのコンテンツもこれからどんどん変化していくに違いない。

　一度引退しても、引き続き他の会社や契約社員として働き続ける人もいるだろう。これまで時間がなくてできなかった趣味に没頭する人もいるはずだ。コミュニティ活動に参加したり、夫婦で旅行したり、あるいは海外移住するシニアがいるかもしれない。シニアと一括りにせずに、ライフスタイルによって細分化すれば、さまざまなビジネス・チャンスが見えてくるのではないだろうか。

　他にもライフスタイルを使ったマーケティングの例を紹介しよう。アメリカではスバルと言えば４輪駆動というイメージが強い。４輪駆動といえばアウトドアである。つまり、週末にキャンプやスキーに行く消費者がターゲットマーケットとなるわけだ。そこで、スバルは、アウトドアのイメージを強調するために、ＬＬビーン（L.L.Bean）との共同ブランディング（Co-branding）を企画した。スバルとＬＬビーンを合わせてプロモートすることで、顧客のライフスタイルに訴える戦略だ。アウトドアのイメージを作るには相応しいパートナーである。

　相手ブランドのイメージを利用した例として、他にレクサスのコーチ・エディション（Lexus Coach Edition）がある。こちらもターゲットとなる顧客層の属性や価値観、行動に共通点を見つけたわけだ。レクサスもコーチもアメリカでは共に、ニューラグジュアリーと呼ばれる「ちょっと贅沢」なポジショニングを採っている。

　フォードのＳＵＶ、エクスプローラーは、エディ・バウアーのブランド力を利用してスバル同様アウトドア派に訴求している。

　最近のハリウッド映画は、商品を意図的に画面に登場させるプロダクト・プレースメントにとどまらず、映画の中で使われる商品との共同ブランディングで映画の宣伝をしている。スポンサーも同時に映画を利用した広告を流すのだ。映画で描かれる主人公のライフスタイルとそこに登場する商品が融合するわけだ。映画００７に登場するアストン・マーチンやＢＭＷ、ノキア、オメガがその例だ。

5 サイコグラフィックス（Psychographics）

"なぜ"購入するのかを教える指標

　サイコグラフィックスとは、属性や社会的要因では測れない購買行動を、消費者のライフスタイルを研究することで、ライフスタイルの基礎となるAIO：活動（activities）、関心事（interests）、意見（opinions）、あるいはパーソナリティや態度などによって分析する方法である。幾つかの例を挙げよう。

　週末や休暇の過ごし方は、個人のライフスタイルをよく表している。ゴルフに行く人、野球をする人、静かに読書をする人、家族と過ごす人、これらの行動は、その人の価値観や関心事に深く関連している。健康のため、家族のため、仕事のためなど理由はさまざまだろう。

　また、高速道路をハイスピードで走り続けるような我々のライフスタイルを振り返ってほしい。ファストフード・レストランに行ったり、インスタント食品を買ったり、全自動の洗濯機・乾燥機を使ったり、洗濯しても皺にならない服を買ったり、ベビーシッターを雇ったり、レジャーや仕事のための時間を捻出するためにさまざまな商品を購買する。つまり、我々は家の外での活動により大きな価値を見出しているというわけだ。

　一方、近年「スロー」というコンセプトが見直されている。食事や家事は生活の基本であり重要であると考える消費者なら、別の購買行動を起こすに違いない。食の安全や健康に関心があれば、ファストフードやインスタント食品を食べる機会はさらに減るだろう。あるいは、環境に優しい商品を好んだり、倫理に欠ける企業の商品は購入したくないと考えたりする消費者も数多く存在する。これらの行動には全て個人の価値観や関心が影響を与えている。消費者の属性では"誰"が購入するかがわかるが、サイ

図3◎AIO

活　動	関　心	意　見	属　性
仕事	家族	自分自身に関して	年齢
趣味	家庭	社会問題	学歴
社会イベント	仕事	政治	収入
バケーション	地域社会	ビジネス	職業
エンターテインメント	レクリエーション	教育	家族のサイズ
クラブ会員	ファッション	経済	住居
地域社会への参加	食事	商品	地理
ショッピング	メディア	文化	街の規模
スポーツ	達成	未来	ライフサイクル

出典：Joseph T. Plumer, "The Concept and Application of Life Style Segmentation," *Journal of Marketing*, January 1974, pp. 33-37.

コグラフィックスは"なぜ"購入するのかを教えるのだ。

ライフスタイルで8つのグループに分類

A．VALS

　サイコグラフィックス細分化で最も有名な方法が、VALS（The Value and Lifestyles）である。カリフォルニアにあるSRI：スタンフォード・リサーチ研究所（Stanford Research Institute）は1978年に、1600人の調査結果をもとに開発したVALS Iを発表した。その後、ベビーブーマー世代の高齢化、マイノリティ人口の増加、メディアの発達など環境の変化に適応した、VALS IIを1989年に開発している。
　図4で示したように、VALS IIでは、縦軸に資源を、横軸に動機づけを配して8つのグループに分類した。

縦軸
資源：収入、学歴、健康、自信、購買欲、インテリジェンス、活気などを含む
横軸
動機づけ
 1．原則志向：感情や他人の意見より客観的な情報、そうあるべきという原則を重視する
 2．地位志向：他人の意見や行動を重視し、それに合わせようとする
 3．行動志向：社会的、肉体的活動、多様性、リスクを欲する

図4◎VALS Ⅱの8分類

	原則志向	地位志向	行動志向
豊富な資源		Actualizers 実現する人	
	Fulfilleds 満足する人	Achievers 達成する人	Experiencers 経験する人
	Believers 信念の人	Strivers 努力する人	Makers 作る人
貧しい資源		Strugglers 困窮する人	

 1．実現する人（Actualizers）：8％のアメリカ人
　最大の資源を有し、高収入を得る。高学歴で、自信家である。広範囲にわたって知識欲が旺盛である。所有物は個人のテイストが反映された高級品。新聞、雑誌、書籍はよく読むがテレビはあまり見ない。広告も信用しない。

2．困窮する人（Strugglers）：16％

　実現する人の対極に位置する。最も年齢が高く、収入が低い。資源をほとんど持たず、学歴も技術も知識欲もない。健康に問題を抱えている人が多い。サバイバルが課題なので、動機づけでの分類はできない。テレビをよく見る。ゴシップの載ったタブロイドや女性誌を好む。

3．満足する人（Fulfilleds）：12％

　比較的裕福な原則志向の消費者。成熟し、責任感のある、高学歴のプロフェッショナル（医師、弁護士、教師、技師など）が多い。半数以上は50歳を越えている。幸せな家庭を持っており、所有物は彼らの価値観が反映されている。読書好きである。

4．信念の人（Believers）：17％

　満足する人より収入や学歴は落ちる。落ち着いて、心地よく、安定した生活を楽しんでいる。家庭、教会、地域社会、国家など伝統的集合を大切に思う。モラルや倫理を重視する。このグループに属する1／3は引退している。平均よりテレビの視聴時間は長い。家やガーデニング関連の雑誌を好む。

5．達成する人（Achievers）：10％

　仕事と家庭から満足感を得る。休暇を取るよりは仕事のほうが大切と考える。仕事では成功している。政治的には保守的で、権威が大切であると考える。テレビの視聴時間は平均的。ビジネス関連のニュースを読む。

6．努力する人（Strivers）：14％

　達成する人とタイプは似ているが、資源がより少ない。ブルーカラーの労働者が多い。読書よりはテレビを好む。

7．経験する人（Experiencers）：11％

　最も若いグループである。社会的活動、スポーツ、エキササイズ、アウ

トドア活動などを精力的にこなす。衝動的で多様性や興奮を求める。ファッション、音楽、ファストフードを消費する。新商品やリスクの高い買い物を好む。大学卒業者は20％ほどだが、在学中の者も多くいる。ロックをよく聴く。

8．作る人（Makers）：12％
　家庭、仕事、肉体的レクリエーション（スポーツなど）が大切と考える。自分の周りの世界以外にはあまり関心がない。ラジオをよく聴き、釣りやアウトドア関連の雑誌を読む。

　ＶＡＬＳⅡの成功例をひとつ紹介しよう。ピッツバーグのアイアン・シティ（Iron City）ビールの顧客の中心は、「作る人」と「信念の人」であった。もっと若くて裕福な「努力する人」と「経験する人」をターゲットにしようと、典型的な「努力する人」と「経験する人」のモデルが一生懸命働き、楽しく過ごすシーンを使ったＣＭを作り、彼らが見るテレビ番組で流した。その結果、アイアン・シティ・ビールの売上げが26％向上したそうである。[ii]
　ＳＵＶを売る自動車メーカーは、若くて、比較的裕福、そして活動的な「経験する人」をターゲットにする。若者がＳＵＶでロッククライミング（トヨタ）、カヌー（日産）、バンジージャンプ（ホンダ）などに出かけるシーンがテレビＣＭに使われる。狙いはみな同じなのだろう。

日本のVALSは消費者を5つに分類

　日本では、日本ＳＲＩ社とＮＴＴが、普及理論と心理学の類似性理論をもとにＶＡＬＳ－Ｊａｐａｎを共同で開発している。まず、縦軸の元となっているエベレット・ロジャース（Everett Rogers：1977）の普及理論を紹介しよう（図5参照）。同理論では新技術や新製品を取り入れる時期によって、消費者を5つのグループに分けた。その5つとは、イノベーター（innovators）、アーリー・アダプター（early adopters）、アーリー・マジ

ョリティ（early majority）、レイト・マジョリティ（late majority）、ラガーズ（laggards）である。

1．イノベーター（革新的採用者）とは、新商品をいち早く購入する顧客である。例えば、発売直後のプラズマテレビに200万円以上もの価格が付けられていても、買わずにはいられないような消費者である。通常、その分野に深く関与し、リスクテイカーである。本国で未発売の製品を海外から取り寄せたりする努力も厭わない。市場の3％がこの層に属する。

2．アーリー・アダプター（初期少数採用者）は、イノベーターの次に新商品を購入する。この層に属する13％の消費者は、各コミュニティで容易に見つけることができる。したがって、特定の製品群においてオピニオンリーダー的存在となる。

3．次のアーリー・マジョリティ（初期多数採用者）は、価格がある程度こなれた時期に、広告やセールスマン、あるいはアーリー・アダプターの影響を受けて商品を購入する。他のマス消費者よりは反応が早い。この層には34％の消費者がいる。

4．レイト・マジョリティ（後期多数採用者）も消費者の34％を占める大規模セグメントである。が、こちらはアーリー・マジョリティよりも猜疑心が強く、広告やセールスピッチには簡単には乗ってこない。この層を落とすには口コミやＰＲ活動による雑誌記事、テレビ番組での紹介などが欠かせない。

5．最後に、ラガーズ（伝統主義者または採用遅滞者）と呼ばれる新商品にはなかなか手を出さない保守的な消費者のグループがいる。伝統に縛られ、新しい技術を拒否するような層だ。例えば、未だに携帯電話を持っていないような人はこの層に属する。

図5○普及理論

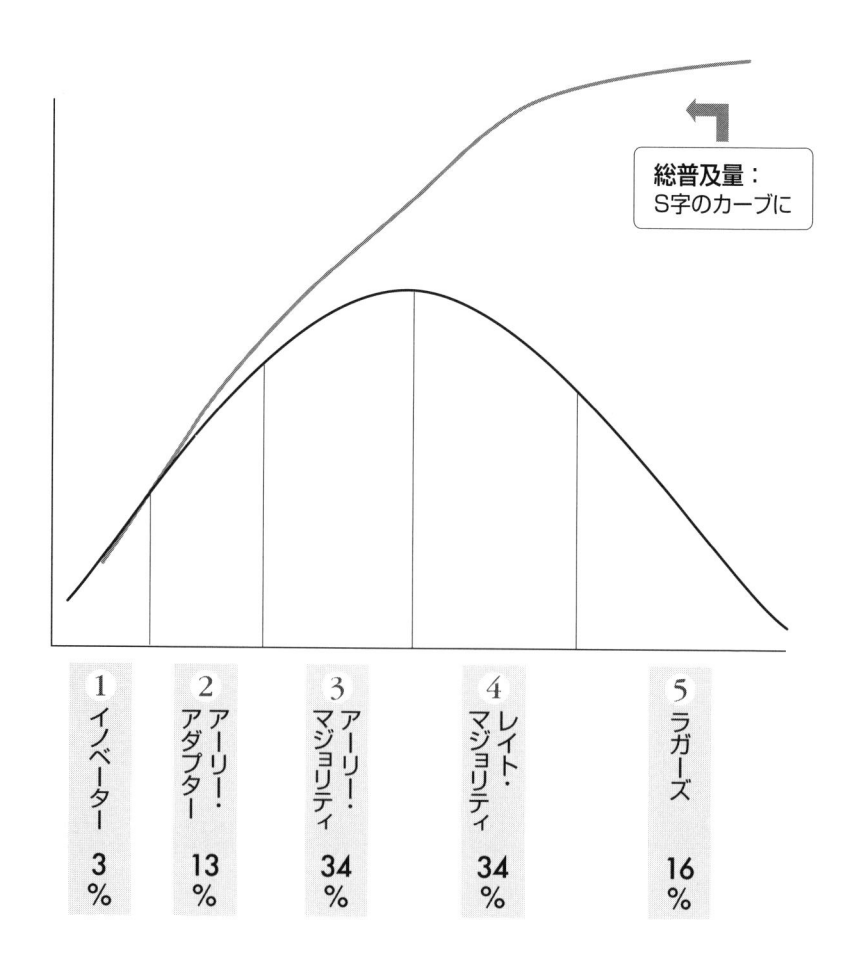

総普及量：S字のカーブに

1 イノベーター 3%
2 アーリー・アダプター 13%
3 アーリー・マジョリティ 34%
4 レイト・マジョリティ 34%
5 ラガーズ 16%

日本版ＶＡＬＳでは、イノベーターを革新創造派と呼んでいる。トレンドに敏感で、新しい商品を積極的に誰よりも早く取り入れる層である。

アーリー・アダプターは、個人の価値観によって３つに分けられている。第１が「伝統型」と呼ばれる日本的伝統を重視するグループだ。保守的な結婚・家族観、強い次世代への継承意識や所属集団への帰属意識を持つ。

第２のグループは「達成型」と呼ばれる。伝統より達成感や良識を重視する。強い社会的責任意識を持ち、文化や芸術に高い関心を示す。知的向上や自己開発に努力するタイプである。

最後が「自己表現型」グループだ。刺激を求め、新しもの好きである。仕事より自分の生活が大切と考える。ファッション性が大切であり、また品質より面白さを重視する。

アーリー・マジョリティも３分割し、アーリー・アダプターのそれぞれのグループに追従するとしている。

最後にレイト・マジョリティとラガーズを合わせてフォロアーと位置づけし、そのグループを縦に３分割している。フォロアーの中で比較的早く新商品を取り入れるのが、「同調派」である。自分から積極的に新しいものは求めないが、周囲の意見を尊重し購買を決意する。

次が「雷同派」と呼ばれる層だ。社会のトレンドには極めて鈍感で、保守的な態度を取る。家族中心の生活を送り、流行には関心を示さない。最後は「つましい生活派」と呼ばれる社会の流れに低関心な層がいる。静かなライフスタイルを好み、長時間テレビを見て過ごす傾向がある。

i　Michael Solomon, Consumer Behavior : Buying, Having, and Being, 6th ed. (Upper Saddle River, NJ : Prentice Hall, 2004) : p. 217.
ii　Wayne D Hoyer and Deborah J. MacInnis, Consumer Behavior 3rd ed. (Boston: Houghton Mifflin Company 2004) : p. 445.

図6 ○ 日本版VALS

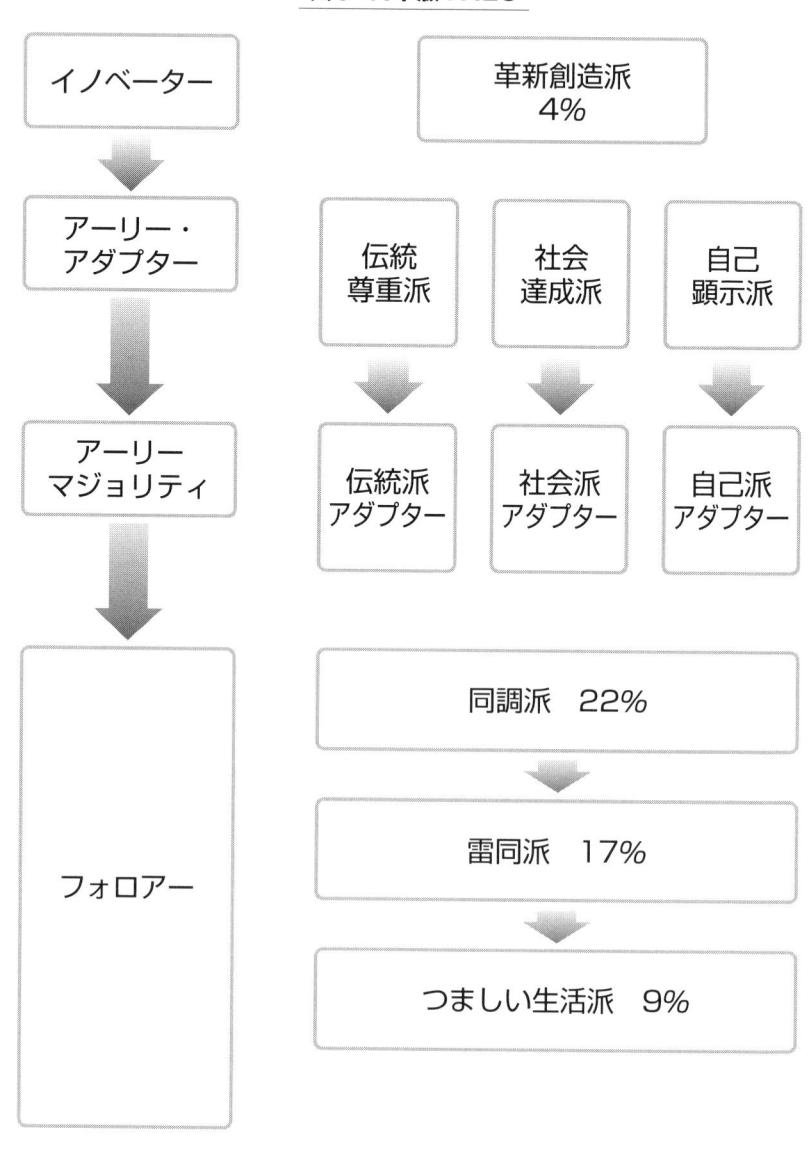

- イノベーター
  - 革新創造派 4%
- アーリー・アダプター
  - 伝統尊重派 → 伝統派アダプター
  - 社会達成派 → 社会派アダプター
  - 自己顕示派 → 自己派アダプター
- アーリーマジョリティ
- フォロアー
  - 同調派 22%
  - 雷同派 17%
  - つましい生活派 9%

客観的価値 ←——→ 主観的価値

出典：http://www.tokyo.sric-bi.com/programs/vals/c.html

第3章

個人的要因:
パーソナリティとセルフイメージ

あなたの典型的な顧客が
どのようなパーソナリティを持っているか
知っていますか?

1 パーソナリティの形成

パーソナリティで消費者を分類する

　本章では、個人的要因のひとつであるパーソナリティがどのように購買・消費行動に影響を与えるかを説明しよう。パーソナリティは、古代ギリシャ、ローマの劇場で舞台俳優がつける仮面を意味するラテン語のペルソナが語源である。日本語では性格や人格と訳されるが、それでは十分にパーソナリティの概念を伝えていないと言われる。パーソナリティとは、外部環境あるいは外部からの刺激に、どのように反応するかを決める心理的特長（要素）の総括である。それには、性格、人格に加え、感情、思考、行動なども含まれる。

　全く同じパーソナリティを持つ人は2人といない。例えば、レジの前に出来た長蛇の列を見て、イライラする人もいれば、気長に待つ人もいる。人前に出ると極端に緊張する人、大勢の前でも平然としていられる人、潔癖症の人もいれば、ゴミ溜めのようなところに平気で住める人もいる。これがパーソナリティの違いである。

　心の根っこに出来上がったパーソナリティは、遺伝や幼児期の体験によって形成され、一貫してなかなか変わることはないという考え方がある。「三つ子の魂百まで」というわけだ。

　一方、社会環境の影響により、大人になってもパーソナリティは変わるという説もある。2人が全く同じパーソナリティを持つことはないが、似たようなパーソナリティで消費者を分類することは可能である。本章では、パーソナリティによってどのように細分化できるかを探ってみよう。

A．フロイトの理論（Freudian Theory）

　フロイトは5歳までの親子関係が、大人になってからのパーソナリティを形成すると説いた。フロイトの理論によれば、口唇期（oral stage）、肛門期（anal stage）、男根期（phallic stage）、潜在期（latency stage）、性器期（genital stage）と成長していき、その過程で生理的欲求と社会的圧力がぶつかり合ってパーソナリティは形成される。この場合の社会的圧力とは親との接し方である。

　例えば、赤ちゃんは1歳くらいまでは体を上手に動かすことができない。口だけを思うように動かせ、口で満足感・快感を得る。この時期、1歳半くらいまでに、十分に口で満足感を得ることができなかった赤ちゃんは、大人になってタバコを止められなかったり、ガムをかんだり、過食症になったり、寂しがり屋で依存性が強くなったりするという。

　1歳半から3歳くらいまでに、トイレット・トレーニングを受けるが、この時期にあまり厳しいトレーニングをすると、支配欲が強く、潔癖症で、頑固、そしてけちな大人になる。逆にトイレット・トレーニングが緩すぎると、だらしなく整理整頓のできない大人になる。羞恥心もこの時期に芽生えるという。

　さて、フロイトはパーソナリティは3つの構成要素が交わり合って形成されると説いた。それら構成要素とは、イド（id）、自我（ego）、超自我（superego）の3つである。イドは本能的、衝動的欲求であり、無意識に現れる。例えば、空腹感、喉の渇き、性欲などがある。自分勝手で「善悪」を理解せず、論理的な行動とはほど遠い。人は本能的に快楽（pleasure）を求め、痛み（pain）を避けようとするが、何の制約も受けないイドは、この快楽主義に従って働く。ちょうど、赤ん坊が本能のままに行動する姿である。

　超自我は、簡単に言えばイドのブレーキ役である。こちらは、社会的倫理観が基準となっている。本能をコントロールし、完璧を求めるのが超自我である。イドとは正反対に位置するのだ。

　自我は3つの要素の中で最も合理的な部分である。イドと超自我のバラ

ンスを取るのが自我の役目であり、極めて現実的な仲裁役なのだ。イドの目的を社会的に受け入れられる形で満たすのが自我である。これを現実原則と呼ぶ。

例えば、イドが「お酒が飲みたい」と働きかける。そこで超自我は「酒は健康に悪いし、社会的モラルに反する」と反対する。ここに仲裁役の自我が「赤ワインならポリフェノールを含んでいるので体によい。しかも洗練された人が飲む酒類だ」と、極めて現実的で実現可能な解決をする。

この理論をマーケティングに応用すると、以下のようになる。まず、人間の本能である「イド」に訴える戦略が考えられる。アメリカの企業は、アルコール飲料、ファッション、香水、清涼飲料水などをプロモーションするのに、露骨にセックスアピールを利用して、消費者の「イド」を刺激する極めて刺激的な広告を流す。アイスクリームのハーゲンダッツが「至福の時（indulgence）」を売りにするのも、まさに「イド」を刺激している。

また、映画やテレビ番組、テレビゲームには、相当の暴力シーンが取り入れられているし、ファンタジーを映像化した作品も多い。消費者は、現実から逃避するエンターテインメントの世界に入っている時くらい、社会的モラルを忘れたいと考えるのだろうか。これもイドである。

逆に、企業の社会的責任、環境に対する配慮、地元への貢献などを強調する広告もある。これは、消費者の「超自我」に訴えているのである。完璧を求める「超自我」が強い消費者は、企業の些細な不祥事でも許すことができないだろう。

マーケティングでは「自我」を上手に使うことが特に大切だ。「超自我」は、消費行動の歯止めとなることが多いので、「超自我」を凌駕するメッセージが求められる。購買を正統化し、意欲を高めるのだ。

例えば、ダイヤモンド市場を支配するデビアス（De Beers）は、「ダイヤモンドは永遠の輝き（A diamond is forever.）」というタグ・ラインを使っている。これは、ダイヤモンドは高いからどうしようと悩んでいる消費者に、永遠の輝きですから高い買い物ではありません、と納得させようとしているのだ。これと同じように、ブランド品を買う客は一様に「一生

物だから価値がある」と言う。この場合、本当に一生使うかどうかは問題ではない。

高額商品であれば、頭金なし、分割払い、低金利などを提供し、金銭的な負担を和らげることで、「自我」の現実原則を刺激する。他に「自我」の正統性を与えられた商品としては、ライトビール、低脂肪アイスクリーム、低ニコチンタバコ、4人乗りスポーツカーなどが挙げられる。

B．新フロイト派

幼児期に大人になってからのパーソナリティの基が形成され、性欲が行動の中心となると説くフロイトの理論に対して、フロイトの弟子である新フロイト派の学者達は、大人になってからもパーソナリティは変わり続けると主張する。そして、生理的欲求ではなく、社会的な関わりによってパーソナリティは形成されると説く。

例えば、劣等感という概念を発見したアドラー（Adler）によれば、人間には優越欲求があり、現実の自己と理想の自己のギャップを埋める、あるいは完璧を追求する行動を取るという。

また、フロム（Fromm）は、孤独感、疎外感などから逃れるための人間の愛情欲求に注目した。そしてサリバン（Sullivan）は、人間は常に自分のためになる対人関係を結ぼうとすると結論づけている。

新フロイト派のひとりカレン・ホーナイ（Karen Horney）は、親子関係に着目し、幼児が不安とどう向き合うかで、行動を3つのタイプに分類できると仮説を立てた。

1．追従型（Compliant Individuals）

困難に面した時に、人を頼るタイプで、愛されたい、求められたい、認められたい、感謝されたいという欲求が強い。人を信頼し、協調的である。でしゃばらずにグループで行動することに長けている。また、規則やルールに従うことは大切であると考える。追従型の消費者は、石鹸、マウスウォッシュ、ワインの消費量が他に比べて多いという。人に好かれたいとい

う欲求が強いので、衛生には人一倍気を配るのだろう。ワインは社交と関連が深い。

2．自己主張型（Aggressive Individuals）

　困難に遭うとそれに立ち向かっていこうとするタイプ。行動的、積極的、競争的である。自己主張、自己顕示欲が強く、自分の能力に自信を持ち、権力や人からの尊敬を求める。男性的、野性的な商品やブランドを好むが、特定ブランドには忠実でない。他人の意見はあまり参考にしない。この型の男性は、電気シェーバーより、剃刀とシェービングクリームを使って手で髭を剃ることを好むという。オールド・ファッションな髭剃りに男性的価値を見出すのだろう。

3．遊離型（Detached Individuals）

　困難に遭うと、人から離れて自分のことは自分でしようとするタイプ。人との間に壁を作り、関わりは極力避け、いわゆる引きこもりの傾向がある。他人に邪魔されることを嫌い、人に強いられると頑固に抵抗する。多くの友人を持つより、少数の親友との交際を好む。ものや人に対して懐疑的でもある。例えば、ひとりで何時間もテレビゲームをするようなタイプの人間だ。ブランドには決して忠実でない。さまざまなブランドを試してみたくなる傾向がある。

　コーエン（Cohen）はこれらCompliance-Aggressiveness-Detachmentの頭文字を取って、ＣＡＤスケールというパーソナリティ・テストの方法を1967年に開発した。その後、同スケールを使ったリサーチが行われている。例えば、大学生を対象に行われたリサーチでは、追従型の学生はベイヤー・アスピリン（Bayer）などの有名ブランドを好むことがわかった。自分の外に価値の基準を求めるので、ブランド品を好み、口コミに影響されやすいのだ。自己主張型の生徒は、オールドスパイス（Old Spice）などの極めて男性的イメージのあるブランドを好んだ。

　そして、遊離型の生徒はよく紅茶を飲むという。紅茶とパーソナリティの関連性について明確な説明はされていないが、紅茶好きはどちらかとい

うと少数派なので、他人と違ったことをしたいという欲求と結びついているのではないかと言われている。

このコンセプトをどのようにマーケティングに応用すればよいのだろうか。例えば、追従型の消費者に対しては、家族団らんの風景、仲間と楽しく時を過ごしているシーンなどを取り入れたらアピールしやすいだろう。ニンテンドー・ウイーは、仲間と楽しむテレビゲームなので、追従型に訴求するような広告を作っている。

しかし、遊離型にはこのようなメッセージは逆効果になる可能性もある。彼らはひとりでいることを好み、パーティで見ず知らずの人と話したり、大勢の中に入ったりすることさえ負担に感じるのだ。遊離型消費者には、静かな場所でひとり読書をするとか、ひとり旅に出てリラックスするとか、全く逆のメッセージが必要だろう。「私には私のスタイルがある」とか「群れに従うな」というようなコピーがあるが、これらも遊離型にアピールしようとしている。自己主張型には、野性的、男性的なイメージで権力欲、名誉欲などを刺激するのだ。このように顧客がどのタイプのパーソナリティを持っているのかを探り、それに適したメッセージを流すことが肝要なのである。

C．特性論（Trait Theory）

因子分析などの統計法を使い、心理的特性によって消費者を分類する方法を特性論と呼ぶ。マーケティングでは広く活用されている理論だ。いくつかの特性は消費行動と直接結びつけられる。特性には、例えば、革新性、自意識、物質主義などがある。革新性（innovativeness）は、新しいことやものを試すことを楽しめるか否かを表す。自意識（self-consciousness）は、自分が他人の目にどう映るかを意識する度合いである。そして物質主義（materialism）は、個人にとって物質を購買、所有することがどれほど大切と考えるかを示す。

所有欲の強い消費者は、自分の持ち物を他人に自慢したがる傾向があるという。このような行動を、アメリカの経済学者ソースタイン・ベブレン

(Thorstein Veblen)は、著書、レジャークラスの理論(The Theory of the Leisure Class)で、"誇示するための購買(conspicuous consumption)"と呼んだ。人は自分の財力を他人に自慢するために、不必要な商品を購入することがあるというのだ。

いくつかの他の特性について説明しよう。

1．教条主義・ドグマティズム(Dogmatism)

定説や一般原則を無批判的に信奉する傾向をいう。この傾向が強い消費者は、極めて保守的である。不確かなものやこれまで見たことのないものに遭遇したとき、自分の信念に合わなければ受け付けようとしない。ただし、権威のある人の意見は受け入れる傾向があるので、有名人や専門家を使った宣伝は効果的である。

ドグマティズムの低い消費者は、オープンマインドで伝統的なものより、革新的なものを好む傾向がある。新商品の導入期にターゲットとすれば、オピニオンリーダーになる可能性がある。

2．最適刺激：OSL(Optimal Stimulation Level)

人はほどよい興奮を好むが、その「ほどよい」の程度には個人差がある。例えば、同じジェットコースターに乗っても、恐がる人、ほどよい刺激に興奮する人、物足りない人がいる。田舎でのんびりと静かな生活を送りたい人もいれば、明日何が起こるかわからないような都会の雑踏を好む人もいる。

強い刺激を求めるOSLの高い人は、リスクテイカーであることがリサーチでわかっている。新しい製品、新しい店、革新的な技術を試すことに抵抗がない。また、購買前情報検索を精力的に行う。リスクを厭わない高OSLの消費者には、バンジージャンプやスカイダイビングなどの映像を新商品紹介に組み合わせると効果的にアピールできると言われている。

日頃、自分が欲する以上の刺激の中で暮らすような消費者は、バケーションは静かでのんびりしたところに行きたいと思い、刺激のないところで暮らす人は、刺激を求めて大都市に行ったり、アドベンチャーを求めてロ

ッククライミングやラフティングに好んで出かけたりする。つまり、双方ともほどよい興奮を得るような中和剤を求めているわけだ。

3．認知欲求：ＮＣ（Need for Cognition）

　物事に対してどれくらい深く考えるか、考えることを楽しむかで消費者を分類できる。ＮＣの高い消費者は、製品について考えることを楽しむ。膨大な情報を収集して分析する。広告でも製品の細かいスペックなどを読みたがる。インターネットも重要な情報源である。

　逆にＮＣの低い消費者には、短いメッセージ、写真、映像を使うことが効果的である。彼らは情報を検索したり、書面を読んだりすることをわずらわしいと考える。高額商品でも、衝動買いのような買い方で購入してしまう。

Column 1

ポルシェカイエンは、なぜ生まれたのか？

　ウエンダリン氏がポルシェの4代目社長に就任した1993年、ポルシェは年間売上台数を1986年の5万3000台から1万2000台まで落としていた。これは、ドル箱市場であるアメリカの不況、そしてマルク高が大きな原因だった。高級スポーツカーしかラインアップのないポルシェは、この経済の波をもろに受けたのである。

　もちろん、世界で一番高給取りであるドイツの労働者も足かせとなった。ライバルのBMWはZ3を投入するに当たってアメリカのサウスキャロライナ州に工場を建て、メルセデス・ベンツはSUVのMクラスをアラバマの工場で組み立てている。

　工学博士でもあるウエンダリン社長は、まず、トヨタで生産管理をしていたコンサルタントを雇い、コスト削減に努めた。カンバン方式を取り入れ、サプライヤーの数を900社から300社に落とした。その結果、これまで120時間かかっていた1台当たりの生産時間を74時間まで縮めることができたのだ。

　一方、マーケティング担当副社長のフォード氏はポルシェオーナーの横顔を知るべく、マーケティング・リサーチを行った。その結果、典型的なオーナーは40代の男性、大卒で、収入が＄20万以上あることがわかった。そこでさらに、顧客を5つのパーソナリティタイプにセグメントした。

1. Top Guns（27%）
　意欲的で仕事をバリバリこなすタイプ。権力、支配力が大切と考える。目立ちたがり。

2. Elitists（24%）
　代々の金持ち。車は車と割り切っている。ただの商品であり自分の分身でもないし、性格を表現するものでもない。価格には極めて無頓着。

3. Proud Patrons（23％）

　車を所持することが大きな目的。車とは一生懸命働いた褒美であり、勲章であると考える。

4. Bon Vivants（17％）

　スリルを求める。車とは忙しい日々の中で、興奮を与えてくれる道具であると考える。

5. Fantasists（9％）

　車とは現実から逃避するために持つもの。ポルシェを持つことに対して世間体を気にする。ポルシェを持っていることを隠そうとする。

　このリサーチの結果を見て、これまでポルシェが広告で、いかに速いか、いかにドライバーが格好よく見えるかを強調していたことが誤りであったことに気づいた。そして、スポーツカー以外の車種にもビジネスチャンスがあるのではないかと考えたのだ。この調査結果では、本当にポルシェの動力性能を楽しむエンスージアスト（enthusiasts）は26％（Bon Vivants ＋ Fantasists）しかいないことになる。この調査結果を見れば、ユーティリティ性を備えたＳＵＶカイエンの誕生は自然な成り行きといえる。

2 セルフイメージ

選択するブランドと自分のセルフイメージは一致する

　消費者はそれぞれ、さまざまな形の自分に対するイメージを抱いている。そして、これらのイメージはセルフイメージと深く関係している。こだわりの商品やそれらを購入する店は、自分のイメージを演出し、ひいてはセルフイメージを反映していることが多い。極端な言い方をすれば、個人が購入する商品は、その人自身なのだ。

　例えば、ハーレーダビッドソンに乗るライダーは、マッチョである自分を演出しようとしているのではないだろうか。間違ってもスクーターに乗るようなことはないだろう。これらの消費者は、男性的で自己主張型のセルフイメージを持っていることが推測できる。ある調査によれば、77％の女性、64％の男性は、自分で描くセルフイメージと一致するブランドを選択するという。

A．現実と理想の自分

　ここで気をつけなければいけないのは、セルフイメージにはいくつかの種類があるということだ。まず、現在の自分自身を見つめる「現実の自分」があり、こうありたいという「理想の自分」がある。理想の自分は、テレビや映画で映し出される俳優、目標とする人物、雑誌で見るモデル、回りにいる影響力の強い人物などによって形作られることが多い。後述する"準拠集団"の影響を大きく受けるのだ。

　ほとんどの人は、現実の自分と理想の自分の間に乖離がある。そのイメージのギャップを埋める役を果たす広告メッセージをファンタジー・アピ

ール（fantasy appeal）という。つまり、客に夢を見させるのだ。化粧品、ファッション、スポーツ用品などの広告は、きれいになった自分、モデルのような自分、プロ選手のような自分を想起させるべくイメージを映し出す。先にセルフイメージと購入するブランドのイメージは一致すると書いたが、多くの場合、そのセルフイメージとは理想の自分なのである。

　消費者は理想の自分に近づくために購買をするわけだ。化粧品や洋服などは、自分自身の気に入らない部分を補正し、気に入った部分を強調するために購買すると言われている。男性の72％、女性の85％は自分自身の少なくともひとつの要素を嫌っているという統計がある。

　社会人になりたての新人が、車を買ったり、スーツやバッグなど必要以上に高価なブランドを購入したりするのも、不完全な自分を物で補おうとしているからなのだ。思春期の少年がマッチョなイメージを作るような服を好んだり、髭を伸ばそうとしたり、タバコを吸ってみたりするのも同じ理由である。

　小売店であれば、店のイメージ、商品、サービスを顧客のセルフイメージに合わせなくてはいけない。例えば、高級デパートなら、裕福、独創的、ファッショナブル、ハイ・ステータスなどの雰囲気をかもし出す必要がある。また、ディスカウントストアならば、現実的で倹約家の賢い客がショッピングする店というイメージを作るのだ。ディスカウントストア、あるいは洗濯洗剤やモップなど日常必需品は、広告に理想の自分像である美しいモデルなどを使うことは逆効果である。このような場合、視聴者が描く現実の自分に近いモデルの映像が求められる。

B．自尊心（Self-esteem）

　消費者が自分自身をどれほどポジティブに評価しているか、あるいは自分自身にどれほど自信を持っているかによって購買・消費行動が変わってくる。他人の目に映るセルフ・イメージも消費者にとっては大切なのだ。

　自尊心の低い人は、物事にチャレンジしようとせずに、大衆の前で恥をかかないように努める。リスクを取って成功を目指すより、失敗や拒絶を

避けようとするのだ。例えば、大勢の生徒がいる教室で手を挙げて発言するようなことはまずない。また、なるべく目立たないようにしようと、洋服も地味な色を選ぶ。このような消費者には、その人のポジティブな面を褒めるようなメッセージを流すことが重要である。

一方、自信のある人は、自分は成功すると思っているので、リスクの高い行動を取る。また、人々の注目を浴びたいという欲求も強い。人から見られることを意識するのだ。このような消費者には、自尊心に挑戦するようなメッセージを流すと効果的だ。「もしあなたが本当にやれると確信するなら、自分の可能性を試してみませんか」というようなメッセージを軍隊、教育機関、ヘルスクラブなどがよく使う。対面販売では、相手のパーソナリティを見定めて、セールストークをカスタマイズすることが肝要だ。

Column 2

所有物は自分の分身(The Extended Self)である

所有物を自分自身の分身であるかのように思う人がいる。その対象にはいくつかのレベルがある。

- **個人レベル**：ファッションや車など所持品を大切にする。車をいとおしむように毎日磨いたり、靴を脱いで乗ったりする人がいる。大切にしていたものを失くしたり、盗まれたり、傷つけられたりしたときの精神的ショックは並大抵でない。
- **家族レベル**：家や家具を大切にする。ＤＩＹ（日曜大工用品）やガーデニング関連商品の需要が高い。
- **グループレベル**：グループ活動に熱心な人がいる。例えば、スポーツチームの熱狂的ファンは、仕事や生活を犠牲にしても応援に入れ込んだりする。
- **コミュニティレベル**：自分の住む町をこよなく愛する人がいる。ボランティアに参加したり、政治に関わったりする。

Column 3

SUV vs ミニバンドライバー

　アメリカでSUV（Sports Utility Vehicle）とミニバンを購入する顧客の属性を比べれば、双方に違いはない。どちらも40代の既婚者で、比較的裕福な顧客層である。しかし、パーソナリティやライフスタイルには大きな違いが認められる。SUVドライバーは一般的に、贅沢と快楽を求め、自己中心的である。決して社交的でない。また、犯罪に対して強い危機意識を持つ。一方、ミニバンドライバーは自信家で他人思い、家族、友人、コミュニティを大切にする。

　双方の活動にも大きな違いがある。SUVドライバーは外食を好み、ナイトクラブやスポーツイベントによく出かける。後部座席に子供を乗せていても、それを人に見られたくないと思う。片やミニバンドライバーは、日曜日に教会に行き、ボランティア活動にも従事する。近所の子供達も一緒に乗せて、公園やサッカーゲームに行ったりもする。

　SUVドライバーにとって最も大切なのが、外見である。威圧的な外装を求め、高い着座位置が大切と考える。自分が道路を支配するという映画、マッドマックス（Mad Max）のような態度をとるのだ。一方、ミニバンドライバーは、安全第一と考え、取り回しが楽で、パッセンジャーの乗降が楽に出来るデザインを好む。外装より、包まれるような内装にこだわる。

　SUVドライバーには、男性的で断言的なメッセージを送るようにする。また、暴力や犯罪に対する恐怖に訴えることも効果的である。一方、ミニバンバイヤーには、家族的で優しく親切なイメージを作り出さなければならない。

　このように、パーソナリティやライフスタイルが違えば、車の好みも、評価の仕方も、メッセージに対するリアクションも全て異なるのである。

（出典：Keith Bradsher, Was Freud a Minivan or S.U.V. Kind of Guy? The New York Times. July17, 2000.）

第4章

消費者関与
(Consumer Involvement)

あなたは顧客の関与を深めるような努力を
していますか？

1 消費者関与とは

関与とは、その商品に対する入れ込み度合いのこと

　次に消費者関与について説明しよう。消費者関与は、購買行動並びに消費者行動の論理に大いに影響を及ぼす重要なコンセプトである。関与の仕方によって、情報収集、学習、ブランド選択など全ての行動が変わってくるのだ。

　これまで健康に無頓着だった人が、医者から「コレステロール値が異常に上がっていますね」と忠告されたらどうだろう。これまでのように無頓着、無関心ではいられないはずだ。スーパーで買う食品のラベルを注意深く読むようになるのではないだろうか。おそらく外食の回数も減るだろう。

　アップルコンピュータの利用者は熱心なファンが多いので、アップルの文句を言われたりすると、かなり気分を害するし反論さえしてくる。また、世の中にはあるブランドや有名人に入れ込んで、その名前をタトゥーしてしまうファンもいる。これらは、全て"関与が深い行動"である。

　関与とは、個人がブランド・商品・購買経験などの対象物に対して知覚する個人のニーズ・価値観・関心との関連性である。もっと平たく言えば、個人が購買行動、消費行動、特定商品群、特定ブランドにどれほど"入り込んでいるか・入れ込んでいるか"ということになる。関与の対象が、個人のニーズ・価値観・関心に関連していれば、情報収集・分析に労力を費やしたり、所有品を大切に管理したり、それなりの行動を取るわけだ。

　上記のような定義ではまだ極めて抽象的な概念である。関与を概念化するには、あらゆる側面から定義づけなければならない。さまざまな研究をもとに、関与度を示す属性が作成されており、それらは、下記の5つに集約することができる。

1．関心：購買者が持つ商品カテゴリーに対する関心
2．商品リスク：商品が期待通りの働きをしなかった場合の損失とその重要性
3．購買リスク：誤った選択をする確率
4．愉快感：商品に関わる喜び
5．自己像：セルフイメージを映す重要度

服飾品は極めて関与の高い商品

エンスージアストと呼ばれる車好きだったら、車の運転はもとより、修理にも、関連本を読むことにも「喜び（愉快感）」を感じるだろう。当然、新車情報に対する「関心」も高いはずだ。洗濯洗剤やガラス拭きなどの日常品は「自己像」とは無関係であるが、服や装飾品などファッション・アイテムは大いに「自己像」を反映する。会計やグラフィックなどのソフトウエアは、技術的に複雑な商品だけに、誤った選択をする「購買リスク」は高くなる。加えて、もし仕事に使うのなら、誤った選択は極めて重大な影響を及ぼす。「商品リスク」が個人利用より高くなるのだ。このように、5つの側面で関与度を測ることができる。

ローレントとキャップフェラー（Laurent and Kapferer）のリサーチによれば、服飾品は商品リスク、購買リスク、愉快感、自己像、全てにおいて高得点を獲得した極めて関与の高い商品であった。

一方、洗剤は全ての項目で重要度が低かった。掃除機とアイロンは、商品リスク、購買リスクは高いが、愉快感と自己像においては低い得点となっている。[i]

Column 4

関与度を測定するライカート・スケール

　関与を表す言葉には、重要である・関心がある・関連性がある・興奮する・意味がある・魅力的である・お金に換えられない・必要である、などがある。関与度を計量するのに、これらの言葉を尺度の両端に据えた質問状がよく使われる。この尺度はライカート・スケール（Likert Scale）と呼ばれる。

私はこの製品に関する記事を読むことに関心がある。
関心がある　　１　２　３　４　５　　関心がない

私はこの製品の広告に注意を払った。
注意を払った　　１　２　３　４　５　　全く払わなかった

私はこの製品と他の製品の性能を比べたことがある。
頻繁に比べた　　１　２　３　４　５　　全く比べたことがない

私はこの製品について他の人と話をした。
よく話をした　　１　２　３　４　５　　全く話をしなかった

私はこの製品を購入したことのある人に質問した。
よく質問した　　１　２　３　４　５　　全く質問しなかった

私はこの製品を購入する時には時間を費やした。
時間をかけた　　１　２　３　４　５　　全くかけなかった

私はこの製品を購入する前に数多くの要素を評価した。
多くの要素を評価した　１　２　３　４　５　ほとんどの要素を評価しなかった

2 関与の種類（1）

長期関与、一時関与、認知関与、感情関与がある

　消費者関与にはいくつかの種類がある。まず、「関与の仕方」によって分類してみよう。このフレームワークを使って顧客はどのような関与の仕方をしているのか分析してほしい。次の関与を高める方法と合わせれば、プロモーションのヒントになるはずだ。

A．長期関与（Enduring Involvement）

　長期にわたってある特定の製品あるいは行動に関与するタイプを長期関与という。コイン、切手、ベースボールカードなどの蒐集家、あるいはステレオや車などに入れ込んでいるエンスージアストがその例である。ひとりの消費者が長期的に関与出来る分野はそう多くはない。多趣味の人でも本当に入れ込んでいるのは1つか2つではないだろうか。長期関与の対象となる自動車、野球、サッカー、切手などには歴史があり、バラエティや変化に富み、次に何が起きるか予測しにくいという特徴がある。単調で刺激の少ないスポーツや趣味は長続きしにくい。

B．一時関与（Temporary Involvement）

　次に、購買前に関与度が高まる一時関与がある。ほとんどの購買で、消費者が経験するのは一時関与である。車雑誌など普段は読んだことがなくても、車を買う前には綿密なリサーチをするはずだ。購入が済めば、次の車を買うまで情報収集も情報分析もしなくなる。

C．認知関与（Cognitive Involvement）

　ある分野に入れ込むと、情報収集や情報分析が楽しくなる。ゴルフ好きなら、歴代メジャー・トーナメントの優勝者や優勝スコア、あるいは有名ゴルフコースのレイアウトを覚えていたり、プレーヤーが使用するクラブや家族構成まで調べたりする。ゴルフについては全て知っておきたいのだ。このように知識の蓄積を楽しむ関与を認知関与という。

　子供の商品でさえ、認知関与を高めることは大切なのだ。子供たちは、例えば、ポケモンのモンスターの名前や得意技を全部覚えたり、遊戯王カードの遊び方を習ったりする。メーカーは関与を持続させるために次から次へと新しいキャラクターを登場させ、テレビ番組に加えてテレビゲームやコミックブック、カード、おもちゃなどさまざまな媒体で刺激を与える。

D．感情関与（Emotional Involvement）

　一方、感情的に関与する場合がある。映画スターのファンクラブに入ったり、野球のシーズンチケットを購入したりする人は感情的に相当入れ込んでいるに違いない。彼らは知識ではなく、経験を楽しんでいるのだ。音楽を聴いて感動したり、映画を観て泣いたりするのも感情関与している証拠である。スポーツやエンターテインメントは感情関与のしやすい商品なのだ。企業は長期に渡って顧客と感情的なリレーションシップを保たねばならない。まず、いつ行っても新しいアトラクションで客を飽きさせないディズニーのテーマパークのように、定期的に発売する新商品で客を感動させ続ける努力が求められる。他にもアップルやＢＭＷなどの新商品は上手に顧客の感情を刺激している。また、認知関与を高めるための物語性もブランドには求められる。

3 関与の種類（2）

商品関与、ブランド関与、広告関与、媒体関与、状況関与

次に「関与の対象」によって5つに分類する。

A．商品関与（Product involvement）

関与は、車やステレオなど製品カテゴリーに対して発生する場合がある。専門誌を購読したり、クラブやサークルに加入したり、試乗や試聴に出かけたり、商品に関わることを喜びと感じるのだ。前述の長期関与、認知関与とも通じる。この種の関与をする消費者は、オピニオンリーダーとなる傾向がある。

企業はブランドの枠を越え、商品関与を深めることで需要を喚起する必要もあるのだ。例えばゴルフがブームになれば、全てのクラブメーカーが恩恵を被ることになる。ファッションブランドであれば、人に見られる機会が増えることで、顧客のファッションや美容に対する意識が高まる。

B．ブランド関与（Brand involvement）

ファッションやスポーツ用品などは、特定ブランドに対して関与が深くなる傾向がある。日本には俗に「シャネラー」と呼ばれる、シャネルの製品を所持することに喜びを感じる女性や、ミニクーパーやポルシェ911など特定の車種に深く関与する消費者がいる。

関与するブランドを所持している場合もあれば、ただのあこがれで認知関与にとどまる場合もある。実現可能かどうかはさておき、人はスーパー

カーにあこがれたり、いつかは有名ブランドの時計を買いたいと思ったり、ゴルフクラブの会員権が欲しいというような欲求を持つものだ。

C．広告関与（Advertising involvement）

広告関与とは、企業が流す広告宣伝のメッセージに関心があるか、あればどの程度かを示唆する。消費者の抱える問題に関連性のある広告、エンターテインメント性の高い広告は関与度が高くなる傾向がある。サントリー「燃焼系アミノ式」のＣＭが話題になったのは記憶に新しい。

広告関与を測るのに、認知テストとリコールテストが行われる。認知テストでは、広告を見せてその広告を見たことを覚えているかどうか、そして何か特徴的なことを覚えているかを尋ねる。リコールテストでは、ある雑誌やテレビ番組を見たかどうかを尋ね、見ている人から覚えている広告を聞きだすのだ。

D．媒体関与（Media involvement）

媒体も関与に関係している。後述するが、テレビは関与の低い媒体、新聞、雑誌、インターネットは関与の高い媒体と言われている。つまり、テレビは受身の媒体であり、テレビを見ているときには視聴者は積極的に情報分析しようとはしないのだ。前述した認知関与を深めるには、プリント媒体やインターネットが相応しいのである。

E．状況関与（Situation involvement）

同じ商品でも、商品の使われる状況によって関与は異なる。例えば、普段家で着る服とデートに出かけるときに着る服では、同じ服のショッピングでも関与の度合いが異なるだろう。そして関与の深い商品は大切に扱う。また、誕生日のプレゼントはどうだろうか。ガールフレンド、親、兄弟、友人、近所の人など、渡す人によって関与度が変わるのではないだろうか。

4 関与度を高める戦略

商品関与の深い顧客ほど、満足度が高くなる

　関与には個人差があり、購入する商品によっても関与度は異なる。しかし、関与の低い商品だからと言って黙って見ているだけでよいのだろうか。最近では、ペーパータオルや洗濯洗剤のブランドでさえホームページを作り、ニュースレターを流して消費者関与を高めようとしている。企業は、常に顧客関与を高める努力をしなければならない。先に示したフレームワーク（関与の種類）を使って、顧客はどのように自社製品と関わっているのか分析してほしい。その上で、関与を高める戦略を練るのだ。

　第1に、商品をターゲット顧客の関心事と関連させる方法がある。歯磨きでも虫歯予防に関心のある人がいれば、白くすることに関心のある人もいる。それならば、ホームページなどに、虫歯についての専門的な情報や歯の正しい磨き方などを掲載して、そこから商品の紹介に結びつけることができる。ゲームやクイズ、スイープステーク（富くじ）などで呼び込むホームページもよく見かける。知識関与を高めていくのである。P&Gのホームページでは、例えば、チャーミン・トイレットペーパーのサイトに行くと赤ちゃんのトイレット・トレーニングの情報が掲載されていたり、バウンティ・ペーパータオルのサイトではロゴの入ったカレンダーをPDFでダウンロードできたりする。また、ジョンソン&ジョンソンのタイレノールのサイトでは頭痛や流感などに関する記事が掲載されている。

　第2に、使用場面や使用者を想定したメッセージを流す方法がある。例えば、働く女性をターゲットにした食器用洗剤の場合、昼はオフィスで働く忙しい女性が帰宅して家族のために食事を作り、子供と一緒に食器を洗うようなシーンがあれば、専業主婦が登場するCMより関心を引くだろう。

これは状況関与に訴える作戦である。

　第3に、商品の機能的便益でなく、快楽などの心理的便益に訴える方法がある。例えば、このカメラは小さくて便利ですというメッセージではなく、「このカメラを使えばこんなに楽しい時間が過ごせます」という画を作るのだ。感情関与を高めるのである。

　第4に、有名人を起用する方法がある。ＣＭ契約をしなくても、ゲリラ的に商品を送りつけたり、芸能人の集まる場所でサンプルを配ったりする企業は多数存在する。有名人を使う最大の利点は、広告関与が高くなることだ。

　第5に、消費者の恐怖心に訴える方法がある。「放っておいたらますます状況はひどくなりますよ」とか「もし災害に襲われたらどうするのですか」など、医薬品、保険などはよくこの種のメッセージを流す。この種のメッセージは、ブランド関与よりも商品関与を高めるだろう。

　第6に、オピニオンリーダーを使う方法がある。これだと有効に関与を深めることができる。オピニオンリーダーに関しては11章で詳述する。

　第7に、競合品にはないその商品の特徴的な要素をアピールすることは、極めて効果的である。例えば、2003年のヒット商品となったヌーブラは、ストラップもバンドもなく、シリコンで胸に貼り付けるブラジャーなので、大きく背中のあいたドレスを着ても下着が見えないという特性がある。それに加えてストラップで締め付けないために、肩が凝らないという便益があり、幅広い顧客に支持されたのだ。関与の低い石鹸や洗剤でも、「アトピー肌用」とか「環境に優しい」というようなメッセージには敏感に反応するに違いない。このようにブランド関与を高めるには、何らかの方法で差別化をしなければならないのである。

　最後に、一度顧客になったなら、関係を保ち、関心を持たせ続けることが肝要である。定期的に新しいモデルを投入したり、ニュースレターを発行したり、ホームページを充実させたりするなどさまざまな方法があるが、自社商品の関与を持続させるには、まず商品を利用する機会を増やすことである。コンテストやトーナメント、集会などのイベントを開催したり、利用回数に伴って特典を与えたり、ソフトや周辺機器を充実させたり、絶

えず行うのである。利用者同士のコミュニティを作ることも、関与を深めるには効果的だ。例えば、ハーレーダビッドソンが主催するH.O.G.（ハーレーオーナーズグループ）は各地で、全米で頻繁にラリー（走行会）を催している。テレビゲームの大会なども定期的に開催されている。テレビゲームはさらにインターネット上でも無数のコミュニティが作られているのだ。コミュニティ作りは、カスタマー・リレーションシップ・マネジメント（CRM）の重要な課題である。

商品を出来るだけ使わせることが、買い換え需要につながるのであれば、商品の新しい使用場面、使用法なども絶え間なく提案していかなければいけない。例えば、PDA（携帯情報端末）をよく使う関与の高い人は、あらゆるソフトウエアをダウンロードし、その機能を最大限利用している。一方、関与の低い利用者は、住所録とカレンダー止まりで、使用頻度も極めて低い。このような顧客は、新商品が出ても積極的に買い換えをしないだろうし、ライバル会社が同じような商品を出したらそちらに鞍替えすることに躊躇しないだろう。

パームパイロットは、第3ベンダーが数百というソフトウエアを書いて、商品の価値を上げている。iPodの成功も音楽ダウンロードサイトiTunesなしには語れない。ハードだけ優れていても、満足なソフトがなく宝の持ち腐れとなっては、長期的顧客維持には結びつかないのだ。購入した製品を使い続けさせる手段を考えてほしい。

商品関与の深い顧客ほど、満足度が高くなる。これは筆者の経験からも言える。筆者が教えるMBAのクラスはバーチャル・クラスとメッセージ・ボードを利用する。インターネット配信されるビデオを見て試験を受けるだけの生徒と、チャットやメッセージ・ボードに積極的に参加し議論を戦わせる生徒では成績にも満足度にも大きな差がある。企業には長期関与とともに、質の高い商品関与を促す工夫が求められるのである。

5 関与の低い行動

低関与の商品は"刺激"に反応しやすい

　関与の低い行動と高い行動を、実際のシナリオを使って分析してみよう。下記のシナリオは、インタビューで得た情報の一部を参考にしている。A子さんは、ニューヨーク郊外に夫と小学生の子供2人と住む専業主婦だ。水曜日の昼過ぎにミニバンを駆って、近所のスーパーマーケットに買い物に行った。そこで購入した商品のひとつが、Ｐ＆Ｇ社の洗濯洗剤「タイド（Tide）」だった。

　前日、残り少なくなっていたことに気づいたA子さんは、洗濯洗剤をショッピングリストに加えていた。A子さんは通常、特定ブランドの洗剤を使い続けることはせず、その場でよさそうな商品を選択するそうだ。そこでは「タイド」以外にも以前購入したことのあるブランドや、テレビＣＭで見たブランドがいくつか目に入ったという。

　「タイド」の他に気にかけたブランドは、日本でも馴染みのあった「チアー（Cheer）」、石鹸ブランドであり肌に優しそうな感じのする「アイボリー・スノー（Ivory Snow）」、以前使用経験のあった「エラ（Era）」の3ブランドだった。他は青や緑のパッケージが目立ったり、広告で名前を聞いたことのあるようなブランドもあったが、特に気にも留めなかったという。

　「タイド」を選んだ理由は、パッケージに書かれていた"20％増量"に引かれたからだ。また「タイド」は、他に比べて棚の見やすい場所にディスプレイされ、一番大きなスペースを占領しており、赤のパッケージはよく目立ったという。「タイド」はテレビでよく宣伝をしている有名ブランドなので、品質に不安はなかったそうだ。特に、誰かに勧められたとか、

使用経験があるというわけではなかった。

　A子さんは、各商品をじっくり調査して比較選択するような買い方はしなかった。セールス・プロモーション、広告、ディスプレイの位置、パッケージ・デザイン、商品名など、商品の性能や品質には直接関係のない要因が購買の引き金となっている。このような購買は、典型的な消費者関与の低い（low involvement）行動なのである。

　洗濯洗剤、石鹸、食品などの生活必需品は、通常それほど考えたり比較したりせずに選択する。これらは、消費者にとって必要ではあるが、重要な製品ではないし購買のリスクも低い。間違った選択をしても生活に支障をきたさない。しかも、いつでもどこでも購入できるし、価格も安いので、すぐに買い換えることができる。通常、このような商品の購買にじっくり時間をかけて商品を吟味するようなことはしないのだ。衝動買いも、典型的な低関与の購買行動である。何も考えることなく、目の前に映った商品、あるいはパッケージ・デザインに"反応"してしまうわけだ。

　関与が低い商品を選択する際に、消費者は"刺激"に反応しやすくなる。刺激には商品と直接関連したパッケージ・デザイン、広告、ディスカウント、クーポン、あるいは環境に関連したディスプレイ、ＰＯＰ、レイアウト、ＢＧＭ、雑音、ライティングなどがあり、ほんのわずかな違いでも購買決定に影響を与えるのだ。

6 関与の高い行動

重要な商品ほど関与は高くなる

　一方、A子さんの主人、B夫さんはインタビューの数週間前に、日立のプロジェクションテレビを購入していた。もともと機械が好きなので、関連雑誌を時々書店や駅の売店で購入したり、電気店でステレオを視聴したりして、ある程度の情報は持っていた。店に行く前には、インターネットで検索したウェブサイト、Ｃｎｅｔ（www.cnet.com）の批評を読んで、候補を３機種に絞り込んでいた。ソニー、パナソニック、日立製品の評価が10点満点で８点を越えていた。また、日立は大型画面テレビを専門に開発するメーカーであると書かれていた。一方、ソニーとパナソニックはブラウン管のテレビも製造する。

　よく行く大型店、サーキットシティ（Circuit City）で店員からも意見を聞いた。その場で見比べても、画像の鮮明度に差異は見つけられないし、価格的にも似たり寄ったりだった。決め手となったのは、その店員の「日立はプロジェクション専門メーカーだから品質がしっかりしている」という言葉だった。Ｃｎｅｔで同じようなコメントを読んでいたので、セールスマンの言葉に後押しされた格好になり、日立に決めたのだ。

　車や家などの高額商品を購入する場合、通常は綿密なリサーチをして、複数の商品を見比べたり、実際に試したり、人の意見を聞いたりしてから購買決定をする。これは関与度の高い（high involvement）購買行動である。

　購買者にとって重要な商品であればあるほど、関与度が高くなる傾向がある。例えば、仕事で使う機材ならいい加減な選択はしないだろう。質が高く、生産効率が上がるような製品を選ぶはずだ。同じ洗濯洗剤でも業務

用となれば、購買者の関与度は極めて高くなる。仕事の出来を左右する重要な要因となるからだ。高価格商品も、出費が増える分だけ重要度が増す。

　洗剤を購入したA子さんより、高額商品を購買したB夫さんのほうが関与度が高く、その分インターネットなどでリサーチを行い、ニーズが生じる以前から雑誌で情報収集をしていた。大型液晶テレビは、高額で技術的にも複雑なので、一般的な購買者であれば、選択に無関心ということはないはずだ。間違った商品を購入してしまえば、買い換えができないし、金銭的損失も大きい。しかも耐用年数が長いので、長期にわたって不満足な製品と共に暮らさなければならない。極めてリスクの高い買い物である。それだけに認知学習（スペック、性能、価格、品質などを客観的に分析）をする傾向が強くなるのだ。

　関与度が高いということは、その製品に対する意識が高いということになる。したがって、関心のない人が見逃してしまうような情報も敏感に察知して知識として蓄える。雑誌をめくっていても、他の人が飛ばしてしまうような広告をB夫さんは目ざとく見つけたはずだ。

関与の低い行動
・選択は出来るだけ簡素にしようとする
・出来るだけ少ない要因を評価しようとする
・購入するブランドを頻繁に変える
・情報に関心がないし注意を払わない
・どれが正しい選択か判断できない
・誤った商品を購入する可能性が高い
・間違った選択でも後悔しないし、多くの場合気づかない
・セールス・プロモーションに反応しやすい
・環境要因に反応しやすい
・どのブランドを購入したか、使用したか覚えていない
・商品が壊れたり紛失したりしても精神的打撃が少ない

関与の高い行動
- ショッピングに時間をかける
- 多くの店を回る
- 情報収集にもお金と時間をかける
- 意識が高まり、情報に対して注意深くなる
- 関連情報の記憶力も向上する
- 選択肢の評価が複雑になる
- 慎重に評価・選択する
- 好みのブランドに忠実である
- 他のブランドも試す意欲がある
- 広告や記事によく目を通す
- ショッピングは楽しいと感じる
- ショッピングに価値を見出す
- 商品に付随するサービスも大切であると考える
- 価格に対する商品の価値を精査する
- 商品に対する満足度は高くなる傾向がある
- 商品を大切に使う

i Jean Noel Kapferer and Gilles Laurent, "Consumer Involvement Profiles : A New Practical Approach to Consumer Involvement," Journal of Advertising Research, 25, 6 (December 1985-January 1986) : pp.48-56.

第 5 章

問題認識

顧客はどのような問題を解決するために、あなたの会社の製品を購入するのだろうか？

1 問題のタイプを把握する

購買行動は問題を認識することから始まる

　購買行動の第１ステップが消費者の問題認識である。消費者問題を「ニーズを引き起こす原因」と解釈してもいいだろう。消費者が問題を認識しなければ、あるいはニーズを感じなければ購買は起こらない。企業は、顧客がどのような問題を解決するために商品を購入しているのかを知らなければ、正しい商品開発も、宣伝もできない。「なぜ」買うのかをしっかり把握してほしい。例えばＰＣを買いに来た客に、何が欲しいかは聞くだろうが、どうして新しいＰＣが必要なのかを聞くセールスマンはいるだろうか？　その顧客が置かれた状況や購買の動機が分かれば商品選択の的確なアドバイスを与えることができるだろう。そしてその情報はメーカーと共有されるべきなのだ。販売員や営業担当者は、顧客の問題を商品で解決するコンサルタントなのだ。

　商品は顧客の問題を解決する道具なのだ。新しいＰＣを買う客は、出張に持ち歩ける軽量小型のラップトップが必要なのかもしれないし、もっと画面が大きなＰＣが必要なのかもしれない。それぞれ、解決する問題が違うのだ。就職面接で着るスーツと、彼女とデートに着るスーツでは目的が違うので、色も形もブランドも異なるのではないだろうか。デジタル音楽再生機は昔からあったが、ｉPodがヒットしたのは１万曲収録できる容量が、いつでもどこでも好きな曲が聞きたいという顧客の問題を解決したからだ。ｉPodでビデオが見たい、もっと小型にしてほしい、という要望にも応えてライン拡張がなされている。それぞれの商品が、顧客のそれぞれの問題を解決しているのだ。

A．在庫切れ

　第1に在庫切れという問題がある。例えば、洗濯洗剤が空になれば購入しようとするだろう。リース満期、あるいは空腹や喉の渇きも在庫切れと同質の問題である。ほとんどの場合、問題を認識してから、顧客自ら購買行動を起こすが、毎朝の牛乳配達のように問題が生じる前に対策を施す場合もある。

　また、保険やセキュリティ・システムのように、将来必要になる可能性が低くても、万が一の事態に備えて購入する商品もある。これらをプレニード（pre need）商品と呼ぶ。ＰＣや家電製品などを買う際に、将来のためにと不必要な機能を付加することがある。これもプレニードであり、企業にとっては大きな収益源となる。

　定期的に在庫補塡をするような商品は、比較的低価格で購買頻度が高い日用必需品が多い。このような商品購買では、顧客はブランドに忠実になる傾向がある。つまり、ブランド・スイッチを促したり、新ブランドを広めたりするのが難しいのだ。中には、親子代々同じブランドを使い続ける場合もある。そのため、アメリカの鎮痛剤メーカーは若い層を取り込もうとマウンテンバイクやスケートボード大会のスポンサーになったり、ウェブサイトを若者向けに作ったりしている。主要ターゲットではないが、将来を考えて青田買いをしているのだ。

　プリンターのインクカートリッジや使い捨てのコンタクトレンズなども、定期的に購入する製品である。オンラインでこの手の商品を購入すると、履歴が残るので、定期的にクーポンなどの付いた電子メールが送られてくる。また、車のリースも満期近くになると、新車関連のＤＭが舞い込むのは偶然ではない。あなたの会社で取り扱う製品は、在庫切れを予測することはできるだろうか。

　多くの消費者は、使用期限が過ぎていたり、本来の機能を発揮しなくなったりした製品を使い続ける。例えば、歯ブラシや髭剃りのカートリッジは、買い換え時期を決めるのが難しい。そこで、ブルーの染料を使って、無色になったら取り替えるようにと、買い換え時期が目に見えるように工

夫された商品がある。下着や靴についても同じことが言える。これは、廃棄処分には、物理的行動より個人の価値観や信念など心理的要因が大きく作用するためである。メーカーは長期使用が機能低下につながることを啓蒙しなければならないのだ。

　また、買い換えを促すために新商品を定期的に投入しなければならない。

Ｂ．不満足

　次に、使用している商品に「不満足」という問題がある。多くの場合、液晶やプラズマなどのフラットテレビを買うのは、使用中のブラウン管テレビに不満を感じたからだろう。テレビが壊れる前に購入するのではないだろうか。テレビが壊れたから新しいテレビを買うのは、負の状態から正常の状態に近づける行為である。お腹が空いたから何かを食べるのと似ている。一方、所持する製品が正常であっても、何かのきっかけで求める規準が高くなり、使用中の製品に不満を覚えるような心理状態はよくある。読んだ雑誌の記事に喚起されることもあるし、友人から使用中のテレビをけなされるようなことも動機となる。

　企業は、買い換え需要が表面化していなくても、関心を煽って需要を掘り起こすことができる。自動車会社が定期的にモデルチェンジを行うのは、

図1◎2タイプのテンション

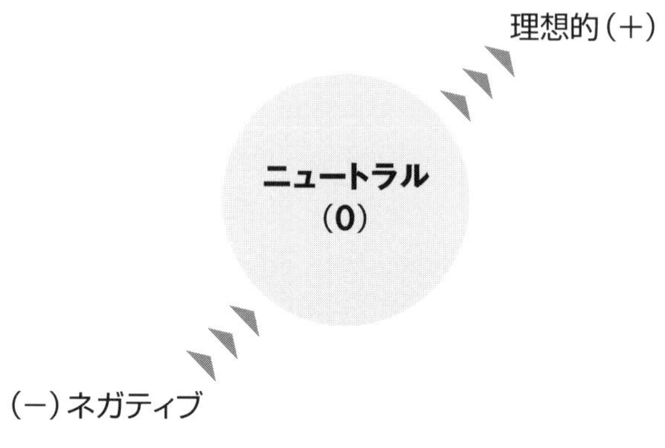

理想的（＋）

ニュートラル
（0）

（－）ネガティブ

まさにニュートラルの状態を負の状態に感じさせるためだ。他の業種でも、機能や色を追加したり、デザインを変えたりして買い換え需要を刺激するのは常套手段である。ファッション業界では、毎シーズン業界で流行の色を決めて、前シーズンのコレクションを意図的に流行遅れにしてしまう。ネクタイの幅を広くしたり狭くしたり、使用者にとっては不都合のない場合でも、何とか「負」に感じさせる仕掛けを作っているのである。

C．使用状況の変化

ライフスタイルが変わることで、新たな問題が発生することもある。筆者は今、新しいＰＣを使ってこの原稿を書いている。このノートブックＰＣは数台目となるが、これまでの製品は重くて閉口した。飛行機で頻繁に旅行することが多くなったため、より軽量であることが、商品選びの条件となった。以前はデスクトップの代わりとして利用していたのでサイズや重量は問題とならなかったのだ。

企業は顧客のライフスタイルを研究し、使用状況・使用場面の変化を分析することで、商品やメッセージに関して改善を図ることができる。ノートブックＰＣの場合、移動が多い客には、電池寿命は重要要素となる。また、空港などでＷｉＦｉ（無線ＬＡＮ）を使ってネットにアクセスする利用者には、ワイヤレスカード内蔵型なら便利である。プリンター、メモリースティック、ウェブカメラなどを同時に使うとしたらどうだろう。ＵＳＢポートをひとつしか持たないパソコンは魅力的に映らないはずだ。

改善のヒントは身の回りに数限りなくある。掃除機なら埃を吸い込むのが基本的性能だが、基本的性能を高めても顧客価値を高めることができるとは限らない。性能がある程度の段階に達したら、それ以上の性能に消費者は便益を見出すことができないからだ。今市場にある掃除機を比べて、吸塵力の違いを実感できるだろうか。それよりも、パックの取り替えが面倒だ、と感じる消費者がいるかもしれない。あるいはコードが邪魔になることや、音がうるさいことが問題かもしれない。製品は、使用者の立場に立ってあらゆる角度から多面的に分析することが大切なのだ。

D．商品購入による新たなニーズ

次に商品を購入することによって、新たなニーズが発生することがある。軽量ノートブックＰＣを購入した客は、ポータブル・プリンターが欲しくなるかもしれない。プリンターを買えば、当然ケーブルやインクカートリッジも必要になる。長期サービスプランに加入する客もいるだろう。これらはある程度、予測可能な「問題」である。それでパッケージ化された製品がよく店頭に並んでいるわけだ。

E．生活環境の変化

収入の増減や生活環境の変化も、消費者に新たな「問題」をもたらす。消費者は、環境が変わったり、新しい状況に遭遇したりしたときに製品を購入することがある。結婚、出産、離婚、転職など、人生にはさまざまな局面がある。そして、新しい局面に立った消費者には新しい問題が生じるのだ。例えば、結婚すれば家が必要になるし、家を新築すれば家具が必要になる。子どもが独立して、貯蓄も時間もたっぷり持つ消費者は、多くの企業にとって魅力的なマーケットであるはずだ。これらの顧客が直面する新しい状況を把握できれば、彼らのニーズを予測することができる。

出産は生活に大きな変化をもたらす。最近、アメリカでは従来の赤ちゃんマーケットが更に細分化されている。高齢出産の増加に伴って、排卵誘発剤を利用する女性が増えている。高齢になるとそれだけで双子出産の確率が高くなるが、その上排卵誘発剤を使うので双子や三つ子の出産率がかなり上昇しているのだ。そこで、あるベビー用品カタログは、双子ディスカウントを実施したり、双子専門のカタログを発行したりして需要に応えている。

2 ニーズとウォンツ／欲求と願望（Needs and Wants）

ニーズとウォンツの定義

　ここで、ニーズについてもう少し詳しく説明しよう。エモリー大学のシェスは、ニーズ（欲求）とは"満たされていない状態（unsatisfactory condition）"であり、消費者はそれを改善するために何らかの行動を起こすという。そして、ウォンツは最低限度満たされた状態から、より高度な満足を得たいという願望であると説明する。例えば、山奥に暮らしていたら車が必要だろう。車を持っていない消費者なら、「どんな車でもいいからどうしても1台必要だ」と思うに違いない。これはニーズである。一方、金銭的に余裕のある消費者の場合、悪路を踏破できる4輪駆動が欲しいとか、家族が全員乗れる大型車が欲しいとか、ナビゲーターがあれば便利だとか考えるはずだ。これがシェスの言うウォンツである。

　オーバン大学のソロモンは、ニーズは"基本的欲求"であり、ウォンツは"消費者が社会経験において学んだ欲求を満たすひとつの方法"であるという。

　例えば、喉の渇きはニーズである。我々は経験によって、オレンジジュースの味、あるいは清涼飲料水の喉越しのよさを学んでいる。また、昼から仕事中にビールを飲むことは好ましくないことも、社会経験で学んでいる。夏の暑い日に喉の渇きを覚えた時「コカ・コーラが飲みたい」と思うかもしれない。これがウォンツなのである。

　つまり、ソロモンによればニーズを満足させる具体的な形がウォンツということになる。ニーズを満たす具体的な形がウォンツなら、それは消費活動のゴールとも言えよう。同じニーズを持つ消費者でも、その消費者を取り巻く環境や過去の経験、価値観、経済的・物理的許容度、ライフスタ

イルなどによって、異なったウォンツ（ゴール）が発生する。大家族ならミニバンを望むだろうし、若い独身男性ならスポーツカーに乗りたいと思うかもしれない。コカ・コーラが飲みたい人もいれば、健康のために水しか飲まない消費者もいるのだ。

　ニーズは全ての消費者が一様に持つものである。一方、ウォンツは消費者それぞれの経験、価値観、信念、ライフスタイル、経済力、あるいは消費者を取り巻く外部環境、例えば商品の種類、友人の影響など社会的要素、法律、自然環境などに大きな影響を受ける。

　ウォンツがあっても、その商品を買えるだけの金銭的余裕がなければ顧客にはならない。これをディマンドという。もし私に「ストレスを解消したい」という欲求があり、それが「フェラーリに乗りたい」という具体的な願望に昇華しても、銀行に2500万円の貯金かそれに見合った収入がなければ、ディマンドとはならないのだ。ニーズを刺激して、ウォンツを引き出すことに成功しても、その前にターゲットマーケットの選択がなされていなければ販売にはつながらない。

3 ニーズの分類

消費者は心理的ニーズを満たすため、より多く出費する

　次に、ニーズはどのように分類できるのか説明しよう。ニーズの分類に関しては、さまざまな研究がなされている。ニーズはまず、大きく生理的欲求（biogenic needs）と心理的欲求（psychogenic needs）に分けられる。生理的欲求には生きていくために必要な食料、水、空気の他に住居や衣服も含まれる。心理的欲求には権力、地位、威信、自信、達成感などがある。

　あるいは、製品の機能を求める欲求（utilitarian needs）、快感を求める欲求（hedonic needs）というくくり方もある。例えば、車ならA地点からB地点に移動する機能があるが、高性能車に乗れば興奮を覚えたり、優越感にひたったりという快感を求める欲求を満たすことができる。これらは心理的欲求と共通する。

A．機能を求めるニーズ（Utilitarian Needs）

　今日、日本で生理的なニーズを満たすためだけに消費行動を起こす消費者はほとんど存在しないだろう。食料、飲料水、衣服、家屋など、基本的な機能さえ満たせばどんな製品でも構わないと考える消費者はいないはずだ。どの商品でもある程度、自ら欲する具体的な形を描いているのではないだろうか。走りさえすればどんな車でもよいから1台必要だという消費者は多くは存在しないし、少なくとも企業のターゲットにはならないはずだ。消費者が求める機能は、ますます複雑になってきている。走る、曲がる、止まるという性能以上に消費者は何を求めているのか、ウォンツを探るのがマーケターの任務なのだ。

一方、ニーズがはっきりと顕在化し、それを満たすために商品開発を行う場合もある。例えば、医薬品は基本的な機能を満たす段階で研究開発がなされる。病気を治すというはっきりしたゴールがあるのだ。ただし、いったんそれらの薬が市場に出れば、製品に付加価値をつけ、利用者のウォンツを満たす方向に向かう。

　例えば、インシュリンはそれ自体が画期的な薬であったが、イライ・リリー社（Eli Lilly）はそれまで豚や牛のすい臓から作られていたインシュリンの拒絶反応をなくすために、遺伝子工学を使い、1980年にヒュームリン（Humulin）という人口インシュリンを開発した。1985年にはノボ社（Novo）が、インシュリンを摂取しやすいようにペン型のカートリッジを開発している。イライ・リリー社は直球勝負で製品の質を上げる努力をした。一方、ノボ社は患者の立場に立って、摂取しやすさという別の側面から製品価値を上げる努力をした。双方とも基本的なニーズを満たす段階から、一段上がったわけだ。最近では経口インシュリンの開発も進んでおり、更に患者の苦痛が軽減される。

　また、ＰＣメーカーのデルは直販＋マス・カスタマイゼーションというビジネスモデルでナンバーワンにのし上がった。販売するＰＣ自体に他社製品と大きな差異はなくても、顧客は利便性というサービスの機能を購買するのである。カシオは他のデジタルカメラ・メーカーが画素数の向上に努めているのを尻目に、徹底的に小型化にこだわり、それが、エクシリムの成功につながった。

　企業は一方向の性能向上にとらわれていると、効果的・効率的に価値を高められる要因を見逃してしまう。一般顧客が必要とする性能や品質のレベルを凌駕しても、価値を高めるのは難しいのである。

　企業は消費者が持つ潜在的なニーズを具体的な形に昇華することによって、購買意識を刺激する必要がある。知識や技術を持たない消費者には、ペン型の摂取法を思いつくことは不可能だろう。

　また、ＧＰＳという技術を知らなければ、道に迷っても、ナビゲーションシステムがあれば便利だ、という具体的な発想はできない。道に迷うのが当たり前と考える消費者は、そのニーズにすら気づかないだろう。

しかし、GPSの技術を知るエンジニアなら、その使い道に関して消費者にはできない発想ができるはず。潜在的な顧客のニーズと企業の持つ技術が融合してはじめて画期的な新商品となる。製品を小さくすることにかけては世界一のソニーだから、ウォークマンが生まれたし、接着させることに関しては右に出るもののない３Ｍだから、ポストイットができたのだ。

図8◎潜在的ニーズを形にして購買意識を刺激する

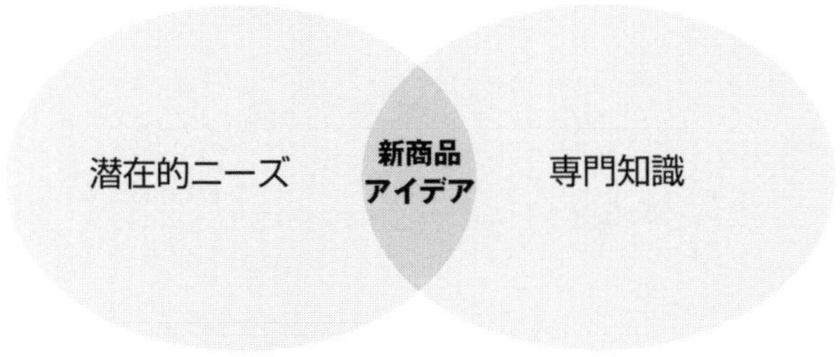

B．快楽を求めるニーズ（Hedonic Needs）

もの余りの今日、消費者にとって機能を求めるニーズ（utilitarian）より重要なのは、快楽を求めるニーズ（hedonic）である。その最たる例がテーマパークや映画などのエンターテインメントだ。エンターテインメントは人に幸福をもたらすかもしれないが、生きていく上で絶対に必要なわけではない。しかし、消費者は心理的ニーズを満たすためにより多くのお金を使う。移動手段としてではなく、興奮を求めて運転をするドライバーがいれば、他人からよく見られたいとか、きれいになることで幸せを感じたいという意識が働いて洋服を選ぶ人もいる。他より安いとか、性能に優れているとかだけではものは売れないのだ。消費者は安いから買うのではない。欲しいから買うのである。

商品がコモディティ化されれば、なおさら快楽を求めるニーズを満たす

努力をしなければならない。価格戦争に巻き込まれやすい業種に航空産業がある。各社、ライバルより数百円でも安い値段を提供して客を釣ろうとする。しかし、アメリカのジェットブルー航空は、全座席の背もたれに液晶画面をつけ、テレビ番組を放映して客を楽しませている。

　また、サウスウエスト航空はフライト・アテンダントの気さくなサービスと気の利いたジョークで乗客を楽しませる。バージンアトランティック航空では、バーやマッサージのサービスまで提供する。安いだけでなく、客を楽しませることが何より重要になってきているのである。自分の身の回りを見渡せば、快楽を求めるために購入した商品の多さに改めて気づくはずだ。

C．消費の意味（Meaning of Consumption）

　ここで消費の意味という考え方を紹介したい。前述したように現代の消費者は物質的には恵まれているし、おおむね満足もしている。多くの消費活動は心理的欲求、快感を求める欲求を満たすためになされるのだ。製品の機能ではなく、製品が示唆する「意味」を購入するということだ。

　例えばハーレーダビッドソンに乗る客は、バイクのパワーに魅了されたのかもしれないが、それよりも、個人のライフスタイルや価値感、あるいはセルフイメージと合致したことのほうが重要であるはずだ。つまり、ハーレーで自己表現をしているのである。露出度の高い高級腕時計や有名デザイナーのバッグを持てば、製品の質に対する満足感に加えて、ステータスを誇示したいという心理も少なからず働くだろう。少なくとも多くの顧客は他人の目を意識しているはずだ。

　企業は商品が持つ意味と密接に関連しているブランドイメージやブランドの性格を安易に変えてはならない。コスト削減のために、安い紙袋や包装紙に変えたり、従業員のトレーニングを怠ったりすれば商品の意味が変わってしまう可能性もある。イメージの維持には細心の注意が求められる。これくらいならいいだろうという妥協は禁物である。

D．マズローの欲求5段階説（Maslow's Hierarchy of Needs）

　おそらくニーズの分類で最もよく知られているのが、ニーズを5段階に分類したマズローの理論だろう。マズローによれば、人はみな同じニーズを経験し、そのニーズは生きるために必要な生理的ニーズから自己を高める心理的ニーズに至る階層構造になっているという。また、基礎的なニーズが満たされると次の段階のニーズが発生すると説いている。5段階のニーズは以下の通りまとめることができる。

1．生理的欲求（Physiological Needs）
　　最もベーシックなニーズ
　　飲料水、食品、衣服、家屋

2．安全の欲求（Safety Needs）
　　安全、安心、安定
　　セキュリティ・アラーム、預金、保険、教育

3．社会的欲求・愛情欲求（Social Needs）
　　人と接する、人と交わる、人から好かれる、人から求められる
　　カントリークラブ、レストラン、バー、遊園地

4．尊重欲求（Egoistic／Esteem Needs）
　　内向き（Inwardly directed ego）：
　　成功、独立心、自由、よい仕事をする
　　外向き（Outwardly directed ego）：
　　認知、評価、評判、社会的地位、パワー、プレステージ
　　ブランド品、大きな家屋、ビルの最上階のオフィス、高級車

5．自己実現の欲求（Self Actualization Needs）
　　限界に挑戦する、さらに上を求める
　　教育、健康・美容関連ビジネス

図9◎マズローの欲求5段階説

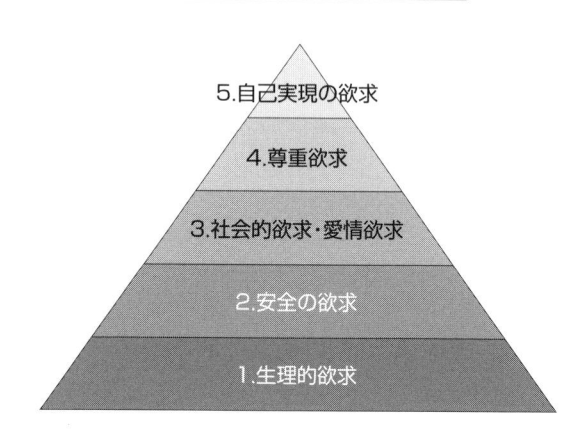

```
        5.自己実現の欲求
       4.尊重欲求
      3.社会的欲求・愛情欲求
     2.安全の欲求
    1.生理的欲求
```

　マーケターは顧客がどの欲求を満たそうとして、自社製品を購入しているのか認識する必要がある。例えば、同じレストランでも、手軽に腹いっぱい食べるために入るレストラン（生理的欲求）、デートに使うレストラン（愛情欲求）、大切な顧客を接待するために利用するレストラン（尊重欲求）と満たすべき欲求は異なるのだ。スポーツジムでも健康のために行く人もいれば、仲間と過ごす時間が楽しくて通う人もいる。車を選択するときには、安全、ユティリティ、運転の喜びなど客によって求めるニーズが異なる。企業は、顧客のニーズと製品特性を結びつけるようなメッセージを消費者に流さなければならない。

E．ハーツバーグの2要素理論（Two-Factor Theory）

　フレデリック・ハーツバーグ（F. Herzberg）は職務満足及び職務不満足を引き起こす原因を、衛生要因（hygiene factors）と動機づけ要因（motivators）に分類した。衛生要因は人間のネガティブな感情に関連し、不満足の原因になるが、満足はもたらさない。給料をいくら上げても作業条件や対人関係を改善しても満足にはつながらない。しかし、給料が低かったり作業条件が悪かったりすれば不満足の原因になるのである。

職務満足を引き起こすのは、達成感、承認、やりがい、責任、昇進などである。しかし、これらが欠けていても不満足にはすぐにはつながらない。つまり、従業員をやる気にさせるには、給与や作業条件など環境を整え、達成感や責任などを与えて動機づけをしなければならないのである。

マーケティングでも、全く同じことが言える。購買を促すには衛生要因を満足レベルに保つだけでは不十分である。動機づけ要因を提供しなければ、客を惹きつけることはできない。例えば、乗用車の衛生要因となりうる、燃費、騒音、信頼性などを競合する他の車並みに改善しても、セールスポイントが欠如していたら客は振り向きもしない。そこに他の車と差別化を図れるような機能、あるいは突出した性能を持たなければならない。

逆に、秀逸なデザインや官能的なエンジン音などで客を惹きつけても、すぐに故障したり、乗り心地が悪かったりしたら客は満足しないのである。不満につながる要素は徹底的に排除し、なおかつ購買の動機づけとなる要素を提供しなければならないのだ。

F．マーレイの社会的要因

ヘンリー・マーレイ（Henry Murray）は、水、空気、セックスなど12の生理的動因（viscerogenic）に加え、社会生活を通して経験する欲求（psychogenic）として27の社会的動機をリストアップした（表2）。生理的動因は、誰もが共通して持つが、社会的動機は、生まれや育った環境によって個人差や文化差がある。マズローの理論に比べてきめ細かく分類されているので、マーケターには、広告メッセージのテーマなどにそのまま応用できる利点がある。

例えば、支配欲の強い消費者は、常に店員や企業がその客に注意を払うことを求める。また、説明欲の強い消費者は「口コミマーケティング」には欠かせない大切なオピニオンリーダーとなる。あるいは、独立欲や反撥心の強い消費者は他人と同じものを買おうとはしない。

紙おむつなどベビー関連商品では、養育欲（nurturance）を満たすようなメッセージがよく使われる。生命保険や投資物件でも、害を避けるニー

ズ（harm avoidance）や援助を求めるニーズ（succorance）より、むしろあなたの大切な子供のために準備しておきましょうと、養育欲に訴えるメッセージを利用するのだ。

　アメリカでは軍隊のリクルート広告をよく目にする。陸軍は、「君が成しうるところまで頑張ろう」（Be All You Can Be in the Army）と達成欲（achievement）を刺激するメッセージを流す。逆に、大学やＭＢＡプログラムなどの教育機関は、「簡単に学位が取れますよ」と害を避けるニーズ（harm avoidance）に訴えることが多い。

　読者の方も表２にある説明を使って、テレビや雑誌で見る広告を分析していただきたい。同じ種類の製品でも、企業によって極めて異なった趣旨のメッセージを流すことがよくあるのだ。

G．気づかない問題に気づかせる

　消費者の問題意識を刺激することは極めて重要である。購買プロセスの第１段階である問題認識がなされないことには、購買は起こらない。前述したように、ニュートラルなステージにいる消費者に、理想的な像を見せてニーズを煽るようなことが必要である。

　「あなたはそのテレビで満足ですか？　この新製品はこれほど優れてますよ」というメッセージを流して、買い換え需要を掘り起こすのである。携帯電話の機能、ＰＣのスピードなどは毎日のように進歩している。新商品の優位性を利用者に認めさせることが肝要である。

　消費者は、問題に直面しても気づいていないことがよくある。その問題に慣れてしまって、意識すらしないのだ。例えば、徐々に汚れていくキッチンの壁は毎日見慣れているので、あまり気にならない。しかし、「この洗剤で拭けばこんなにきれいになりますよ」と使用前・使用後の写真を見せれば、消費者は自分が置かれたネガティブな状況に気づくだろう。

　体重も徐々に増えていけばそれほど気にならないし、車の塗装が徐々につやを失っても気づかない。消費者はさまざまな分野で「ゆで蛙」状態になっているのだ。問題に気づかせることが、購買への第一歩なのである。

表2 ◦ マーレイの社会的要因

卑　　下：Abasement	諦め、罰を受け入れる
達　　成：Achievement	困難を乗り越え成功する
獲　　得：Acquisition	ものを所有する
親　　和：Affiliation	友情を築く
攻　　撃：Aggression	他を傷つける
独　　立：Autonomy	他を寄せ付けない
非難回避：Blame avoidance	ルールに従い非難を避ける
創　　造：Construction	創造する
反　　撥：Contrariance	ユニークになる。他に反対する
反　　撃：Counteraction	中傷者に対する反撃。名誉を守る
防　　衛：Defendance	言動を正当化する
服　　従：Deference	上司に仕える。服従する
支　　配：Dominance	他をコントロールし統率する
自己顕示：Exhibition	他の注意を引く
説　　明：Exposition	説明する。情報を与える
危害回避：Harm avoidance	痛みを避ける
恥辱回避：Inavoidance	失敗や恥を避ける。弱みを見せない
養　　育：Nurturance	弱者を助ける。同情する。養育する
秩　　序：Order	物事を整理整頓する
快　　楽：Play	リラックスする。楽しむ
承　　認：Recognition	他に認められる。社会的地位を望む
拒　　否：Rejection	他を寄せ付けない
知　　覚：Sentience	知覚できるものの印象を楽しむ
性　　：Sex	エロチックな関係を結ぶ
模　　倣：Similance	他人の感情を自分のものとして味わう
援　　助：Succorance	保護や同情を求める
理　　解：Understanding	経験を分析する。知識欲を駆り立てる

第 6 章

動機づけ（Motivation Process）

消費者に自社製品を購入する動機づけを
したことがありますか？

1 動機づけとは

動機とは、満たされていない状態を改善しようとする意思

　問題を認識し、ニーズ・ウォンツに気づくだけでは、購買行動を起こすには不十分である。ニーズやウォンツが動機づけの絶対条件となるわけではない。例えば、多少お腹が空いたなと感じても、すぐにレストランには飛び込まないだろう。あるいは、座り心地の悪い椅子を買ってしまっても、ほとんどの人は我慢して使い続けるのではないだろうか。

　購買行動は、動機がなければ起こらない。空腹を感じたときに時計を見て、30分後にミーティングがあることがわかったなら、あわてて食事に出かけるはずだ。また、医者に「安物の椅子を使用していたら腰痛の原因になりますよ」と注意を受けたらすぐにでも新しい椅子を探し出すだろう。

　このように人間の取る行動には必ず動機がある。動機とは、満たされていない状態を改善しようとする意思である。満たされていない状態が一定レベルに達すると、動機が働き行動を起こすのだ。「満たされていない状態」あるいは現実の状態と理想的な状態のギャップをテンション（tension）と呼ぶ。テンションが高まれば高まるほど、それを軽減させようとする意識、行動の推進力が強まる。このテンションを軽減しようとする精神的状態が、動因・ドライブ（drive）である。

　ということは、動機がわかれば行動が予測でき、消費者像が明確になる。ちょうど、犯人を追う刑事が、犯行の動機を推測し犯人を割り出そうとするのに似ている。

　例えば、強盗の原因はその人が借金で困窮していたからだとしよう。もし、その人が、現金を無造作にバッグに放り込む姿を目撃したとしたら、それが動機となるかもしれない。前章で説明した消費者問題が行動の理由

であり、動機は行動を取らせるきっかけなのである。

　最近、筆者はミニバンを購入した。理由は子供が自転車に乗るようになったことである。自転車を積んで公園に出かけるにはミニバンしか選択の余地はなかったのである。そして、購買の動機は、前に乗っていた車のリースが切れたこと、某社がちょうど新型のミニバンを発売したことである。顧客像は、自転車2台を荷室に積め、週末家族4人で公園に行く中年男性ということになる。

　もうひとつ例を挙げよう。前述したように、筆者は重いPCを持ち歩くことに疲れ、それが動機となって新しいノートブックPCを購入することを決めた。重いPCを担いで旅行していた筆者は、空港に行く回数が増えれば増えるほど、「軽いPCが欲しい」というテンションが、もうこれ以上耐えられないというところまで高まった。臨時収入があったのでそれが動機となり購買を決意したのだ。この場合の顧客像は、PCを持ち歩き、海外を飛び回る出張族である。

　上司は部下の仕事に対するやる気を高めるために、昇給や賞与などさまざまなインセンティブを与える。消費者行動も同じである。動機が与えられれば購買行動を起こす。割引クーポン、イベント、コンテスト、ディスカウントなどのセールス・プロモーションは一番わかりやすい動機である。あるいは、有名人が使用していることを知れば買うきっかけになるかもしれない。口コミや雑誌の記事なども強力なきっかけになる。企業は"動機"を与える努力を絶やしてはならないのだ。

図10◎動機づけ（Motivation Process）

満たされないニーズ　▶　テンション　▶　動因・ドライブ　▶　行動

2 心理的動機づけ

高級ブランドは心理的ニーズを満たす

　先のノートブックＰＣの例では、小型軽量、搭載能力に優れているという機能を求めるニーズ（rational motive）が生じ、購買行動につながった。一方、機能的満足ではなく、心理的満足を求めて購買行動を起こす場合がある。消費者は物理的な製品特性ではなく、優越感に浸りたいとか、ステータスシンボルを手に入れたいという心理的欲求を満たすために製品を購買する。高級と呼ばれる商品は、消費者にとって機能的価値より心理的価値のほうが大きい場合が多い。現代人は快楽を求めたり、人とのふれあいを求めたりするニーズがますます高くなっている。

　心理的動機づけの例を挙げよう。あなたが取引先のビジネスミーティングに行ったとしよう。そこに参加していた人達が、フランク・ミューラーやローレックス、カルチェなどの高級時計を身に着けていたとする。もし、あなたが時計に関心を持ち、いつかは高級ブランドを身に着けようと考えていたなら、このミーティングがきっかけで購買行動を始める可能性がある。これは、極めて感情的な動機である。この場合、時計の機能を求めているのではなく、高級ブランド品を身に着けることで、心理的ニーズ（emotional motives）を満たそうとしているのだ。普段から腕時計に関心があったからこそ、時計に対する意識が高まり、他人の時計に注意を払ったという消費者心理も見逃せない。また、高級時計を着けていた人達は準拠集団と呼ばれ、購買行動に多大な影響を及ぼす（11章で詳述）。他人と自分の持ち物を比べたり、憧れの人の持ち物を見たりすることで欲求が高まる。隣の芝生が青く見えるということだ。

3 動機に関する理論

3つの理論

A．動因軽減説（Drive Theory）

　人間は本能的に、生理的、心理的平衡状態を保とうとする。ネガティブな状態になったらニュートラルな状態に移行しようとするのだ。この説を動因軽減説といい、1939年に発表されたW.B.キャノン（William B. Cannon）のホメオスタシス（Homeostasis）：生態恒常性の原理に端を発する。生物体の体内諸器官は、外部環境（気温・湿度など）の変化や主体的条件の変化（姿勢・運動など）に応じて、体内環境を（体温・血流量・血液成分など）ある一定範囲に保つのだ。例えば、生体内部の水分欠乏症は水分摂取行動を起こさせ、生体は平衡状態を回復する。

　これをマーケティングに応用してみよう。企業が消費者にテンションを感じるような仕掛けをする。すると平衡を保とうとする消費者は購買行動を起こす、という仮説が成り立つ。最も動物的な例を挙げれば、人は空腹に耐えられなくなった時、空腹感がテンションとなって、空腹を満たす行動を取る。レストランの前を通りかかり、おいしそうな香りを嗅いで、空腹を思い出すような経験は誰にでもあるはずだ。香りが動機となるのである。おいしさを示唆するシグナルは、香りに加えて暖簾に書かれた店名、赤く焼ける炭火、肉が焼ける音などがある。これらを効果的に使って五感に訴えるのである。

　また、消費者がある種のテンションをすでに持っている場合は、危機感を煽るような広告に効果があることがわかっている。例えば保険をかけていない家主が台風で家を失い、意気消沈しているようなシーンをCMで再

現するのである。マウスウォッシュやデオドラントにもこの種の広告が多い。「あなたは口臭が気になりませんか」というような広告コピーは日本でもよく見かける。危機感を煽る広告は、金融、健康、美容関連商品に多い。アメリカのテレビで流されるコマーシャルの15％は危機感を煽る（fear appeal）タイプの広告だという。

B．期待価値説（Expectancy Value Theory）

　最近の研究では、動機を説明するのに生理的要因（biogenic motives）より認知要因（cognitive motives）に焦点を当てるようになってきた。マーチン・フィッシュバイン（Martin Fishbein）によって提唱された期待価値説は、「ブランドAでなくブランドBを選ぶのは、Bのほうがよりよい結果をもたらすに違いないと期待することによる」と説明する。性能、価格、耐久性など合理的に比較して購買意思決定をするというわけだ。そして、動機づけの強さは、購買行動により一定の結果が得られるという期待の強さと、その結果の価値の大きさによって決められる。

　例えば、昨今ダイエット商品の広告をよく見かける。「1週間で5キロ痩せる」と聞けば、体重が気になる人の期待は否が応でも高まる。肥満で悩んで医者から忠告を受けているような人には、その価値は計り知れない。

動機＝効果の期待値×結果の価値

　この理論は、人間は合理的な行動をするという前提に基づいているが、消費行動は心理的要因（psychogenic motives）にも大いに影響を受け、合理的でない行動となって表れることもある。故障を覚悟で車を買うような行動は合理的とは言えない。しかし、官能的な排気音や機敏なハンドリングなどに魅力を感じ購入してしまう消費者がいる。彼らにとっては故障というネガティブな要因より、官能的な排気音のほうが価値が高いわけだ。

　合理的であろうがなかろうが、顧客にとって価値のある製品要素を探り、その顧客の期待値を高めることが大切なのだ。製品が高性能、高品質であ

ることは、必要条件（衛生要因）であり、消費者にこの製品は高性能・高品質に違いない（知覚品質）と期待を抱かせるような仕掛けも必要なのである。また、運転が楽しいとか、刺激的というような動機づけ要因も欠かせない。そのためのブランディングであり、イメージ戦略なのだ。

C．動機の矛盾（Motivational Conflicts）

購買意思を決定するのに複数の動機が係わることがよくある。それらの動機はポジティブの場合もネガティブの場合もある。以下に3つのシナリオを描いてみよう。

1．接近・接近型コンフリクト（Approach-Approach Conflict）

まず、消費者は複数のポジティブな選択肢に悩むことがある。例えば、ゴールデンウィークにどこに行こうかとか、映画館の前でどれを見ようかとか悩む。悩んだ末、どれかひとつを選んだ消費者は、自分は正しい選択をしたかどうか不安になるものだ。その不安を解消するために、選ばなかった商品の欠点、選んだ商品の優れた点を探して、選択を正当化しようとするだろう。企業は、顧客の選択を助け、購買後の不安を軽減するために、自社製品の優位性をはっきりと消費者にわかりやすいように伝える必要がある。不安を抱えた顧客は忠実にならないのだ。

例えば、比較広告を出したり、性能を示すデータを提供することで客観的な比較分析を可能にすることができる。また、当製品はナンバー1ですとか、何万人の顧客に支持されていますというようなメッセージにも効果がある。重要な点は、顧客は製品のどの部分を比較するかを知ることである。スピードなのか、重量なのか、入手しやすさなのか、そのポイントが外れては無意味なメッセージになってしまう。

また、どの競合品と比較するのかも知らなければならない。アディダスならナイキ、デルならコンパックと、ブランド間競争は比較的明確に相手を絞り込むことができる。しかし、消費者は、デザートをアイスクリーム

にしようかチーズケーキにしようか迷う。また、ボーナスを旅行に使おうか、車の頭金にしようかとか、全く関連のない接近・接近型コンフリクトに悩んだりもする。競合ブランド、代替品など、コンフリクトの対象は幅広く研究しなければならないのだ。

2．接近・回避型コンフリクト（Approach-Avoidance Conflict）

　多くの商品はネガティブな側面を持つ。例えばハンバーガーは高カロリー、タバコは健康に悪い、海外旅行は高価、毛皮は社会的に受け入れられないなどである。このような不一致に直面した消費者には、回避の理由を軽減させることが肝要である。豆腐を使ったベジタブルバーガーを提案したり、低ニコチンのタバコを販売したりするのである。そのためには、消費者はどのような回避の理由を持っているのかをつかみ取らなければならない。低カロリービールのアムステル・ライトは「ビール飲みのライトビール（Beer drinkers' light beer）」というコピーで、ライトビールでも飲み応えのある味であることをアピールしている。接近と回避をうまく使ったコピーである。同コンセプトは前述したフロイトの「自我（ego）」にも通じる。

3．回避・回避型コンフリクト（Avoidance-Avoidance Conflict）

　２つのネガティブな選択肢から商品を選ばなければならない場合もある。例えば、車が故障して大きな修理が必要なときに、修理代を支払って乗り続けるべきか、新車を買おうか迷うかもしれない。この場合、他方の選択肢にない便益を提供することが大切である。例えばリベートや低金利のローンを提供して、消費者の痛みを軽減することで新車を購入する動機を与えるのだ。
　消費者は迷ったら購買意欲が失せる。出来るだけ迷わずに選択させることが肝心だ。消費者が選択決定をするに当たって、どのような不一致に直面するのかを研究すれば、購買を促す強いメッセージを流すことができる。

4 商品・プロダクトとは？

商品には、製品やサービスが含まれる

　問題解決の道具となる商品について説明しよう。商品（products）には、製品（goods）、サービス（services）、人（people）、団体（organizations）、場所（places）、アイデア（ideas）などが含まれる。

　製品は乗用車、衣料品、食品など形のあるもの、サービスは金融、小売、教育など無形の商品である。

　マーケティングの対象になる"人"には、例えば政治家や芸能人がいる。求職活動中の学生も、企業に自分を売り込まなければならない。商品としての"場所"で、一番わかりやすいのは観光地だろう。「Ｉ♥ＮＹ」は誰でも知っているはずだ。

　また、アメリカのいくつかの州政府は東京に事務所を置き、地元に日本企業を誘致しようとしている。これもマーケティング活動である。"アイデア"のマーケティングには、例えば「飲んだら乗るな」とか「地球を大切に」など、消費者の価値観やモラルに訴える活動が含まれる。

　製品は、さらに購買習慣に基づいて大きく３つに分けることができる。

1．最寄品（Convenience Goods）

　歯ブラシ、石鹸、ソフトドリンク、雑誌、洗剤などの生活必需品である。これらは、大量生産され、比較的安価で売られる、消費者にとってリスクの低い商品である。購買頻度は高く、メーカーとしてはより多くの店舗で商品を販売し、マスメディアを使って宣伝することが求められる。消費者関与は極めて低く、いつも買うブランドを見つけられなければ、迷わず他のブランドを購入する。

最寄品は通常コンビニエンスストアやスーパーマーケットなどで販売され、店員による売り込みはなされないので、プロモーションはメーカーの広告に頼ることになる。衝動購買されるのも、最寄品の特徴である。

乾電池が切れたりや卵が必要になればすぐに近所のコンビニやスーパーに駆け込むだろう。このような緊急商品の場合、客が必要なときに入手できるようできるだけ多くの店舗で販売することが重要なのだ。最寄品は自動販売機でも販売される。

2．買回品（Shopping Goods）

電化製品、家具、食器、洋服などが例として挙げられる。消費者は、品質、価格、性能、スタイルなどを比較して購入する。関与度は最寄品より高い。買回品はデパートや専門店で販売され、宣伝とともに販売員の営業力が売上げに大きく影響する。カスタマーサービスが大きな影響要因となるのだ。また、買回品の選択には顧客の好みが反映されるので、マーチャンダイジングが極めて重要である。

3．専門品（Specialty Goods）

スポーツカーや高級時計、デザイナーズブランド品などのラグジュアリー商品が含まれる。購買リスクが高いので、消費者は綿密なリサーチをする。気に入ったブランドが見つかるまで、検索の労力を惜しまない。また、リスクを避けるために特定ブランドに忠実になる傾向もある。これらの商品に対する消費者関与は最も高い。また、専門品の顧客は希少価値（exclusivity）を求めるので、安易な拡大政策を取って商品が巷に溢れたら命取りにもなりかねない。

通常は衣料品店で買う下着をコンビニで販売したり（最寄品としてリポジショニング）、耳かき、爪切り、ほうきなどの買回品を、手作り高級品としてデパートの特別展示場で販売したり、枠から外れた固定観念に捕らわれない方法で成功する商品がある。自社製品の競争力を枠内で高めるのではなく、思い切って枠を外せないか考えてみて欲しい。

5 商品の便益（Benefit）

顧客にとっての便益とは何かを考え、訴える

　マーケターは、商品開発に当たって、その特性とともに、利用者の立場から、商品の便益についても考えなければならない。例えば、アップルのiPodは、40ＧＢのメモリーに１万曲もの音楽を収録できるし、軽量小型でおしゃれなデザインという特徴がある。利用者にとっては、ＣＤを持ち歩いたり、いちいち装塡したりする手間が省けるという便益をもたらす。

　利用者の中には、音楽再生プレーヤー、携帯電話、ＰＤＡをそれぞれ持ち歩くのは不便だという意見があるかもしれない。このような利用者に対しては、性能を一方向に向上させてメモリーを増やすより、多機能にしたほうが価値を高められるだろう。１万曲もの容量は必要ないという客には、少ないメモリーの機種を低価格で売り出せば要望に応えることができる。

　異なった製品、あるいは製品群が同じニーズを満たすことがある。きれいになりたいというニーズは、化粧品でも満たされるし、洋服でも満たされる。あるいは美容整形という手段もあるだろう。どの手段を選ぶかは、それぞれがもたらす便益に影響される。化粧品には、手軽にできるという便益がある。また、美容整形には容姿が劇的に変わるという便益がある。洋服は露出度の高い製品なので、自分をきれいに見せると同時に、所持品を人に見せたいという欲求を満たす。

　また、個人的要因も影響を与える。美容整形を受けることに抵抗のない人もいれば、価値観が合わない人もいる。化粧品は消耗品なので大金を使いたくないと考える女性もいるだろう。消費者の価値観や信念も購買には大きな影響を与えるのだ。

　逆に、ひとつの製品が異なったニーズを満たす場合もある。フィットネ

スに通う客は、健康維持が目的かもしれないし、体を美しくするためにエクササイズをするかもしれない。あるいは、そこで友達を作るという目的も考えられる。歯磨き粉なら歯を白くする、虫歯を予防する、口臭を防ぐ、歯ぐきを強くする、ヤニを取るなど、さまざまな便益がある。子供のいる家庭なら、虫歯予防に効くブランドを選ぶだろうし、若い女性なら歯を白くする便益に魅力を感じるに違いない。

　企業は顧客が何を求め、何に価値を見い出すのかを探り続けなければならない。同じ商品でも、その位置づけによっては、まったく的外れになってしまう可能性があるからである。

図11◎1対1ではないニーズと便益の関係

ひとつのニーズを満たす複数の解決法

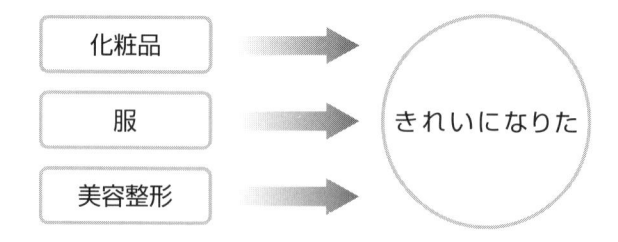

化粧品　→　きれいになりた
服　→
美容整形　→

ひとつの解決法が満たすさまざまなニーズ

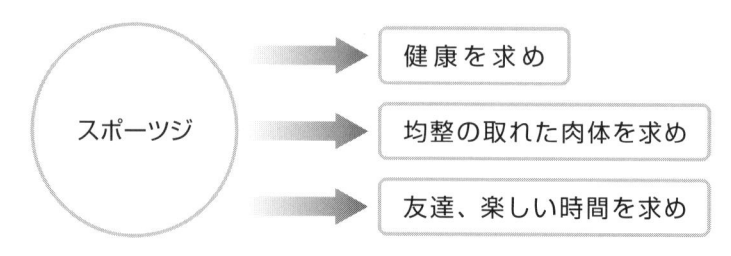

スポーツジ　→　健康を求め
　　　　　　→　均整の取れた肉体を求め
　　　　　　→　友達、楽しい時間を求め

第7章 情報収集

あなたは顧客がどのように情報検索を行い、
どのように商品について学んでいるか研究したことがありますか？

1 内的情報検索と外的情報検索

記憶をたどるのが内的情報検索、人に聞くのが外的情報検索

　購買プロセスの第2の行動が情報検索である。消費者は、問題（ニーズ）を認識し、商品に関する情報が必要になった時、まず記憶をたどることから始める。これを内的情報検索（internal search）という。例えば、昼食時に、お腹が空いたからといってインターネット検索を始める人はいないだろう。過去の経験や学習結果に基づいて好みのレストランを選ぶはずだ。この場合の学習結果とは、雑誌やガイドブックなどを積極的に読んでため込んだ知識もあれば、広告やテレビ番組中の紹介など受動的に与えられる知識もある。

　記憶にとどまっている情報は限られているし、思い出せる情報となるとさらに量は少なくなる。関与の高い商品であれば詳細な情報が呼び起こされるだろう。しかし、一般的に関与の低い洗濯洗剤や練り歯磨きのような商品であれば、ブランド名を思い出すのが精一杯だろう。内的情報検索で想起されやすいブランドについては後述する。

　一方、高額消費財などを購入する場合には、友人に尋ねたり、店を訪れたり、広告や記事を読んだりして能動的に情報を入手する。このような検索を外的情報検索（external search）と呼ぶ。

　例えば、昼食に行く食堂の検索はしなくても、会社の忘年会の会場とか、デートに使うレストランであれば、しっかりとリサーチするのではないだろうか。また、食通であれば、日頃からザガードやミシュランなどのガイドブックに目を通しているに違いない。情報検索は4章で説明した消費者関与とも密接に関連している。

2 購買前検索と継続検索

情報量が増えるほど、知識が高まり購買に役立つ

　通常、消費者は問題（ニーズ）を認識して、購入を決めてから情報検索を行う。これを購買前検索（prepurchase search）と呼ぶ。情報検索は、問題を認識する以前に行われる場合もある。個人的に関心のあるスポーツや趣味に関連する情報ならば、ウェブサイトをブックマークして頻繁にチェックしたり、雑誌を定期購読したりして継続的検索（ongoing search）を行うだろう。それに伴って商品情報も入手するはずだ。

　継続的検索は、単に手持ちの情報を更新することが目的である。情報量が増えれば増えるほど、知識の精度が高まり、次の購買に役立つというメリットがある。学習そのものに喜びを見出す消費者も多くいる。これらの消費者は関与が深く、後述するオピニオンリーダーとなる傾向があるのだ。また、継続的検索を行っていると、商品に対する意識が高まり、衝動買いの可能性が高くなる傾向がある。そのためにも前述した認知関与を高めることが大切なのだ。

　情報過多の時代に、受動的に入手する情報も相当量に上る。テレビや雑誌などで見る広告、店舗に並ぶ商品パッケージ、周りの人が持つ商品など、さまざまな情報にさらされている。それらを意識的に取り入れることがなくても、刺激を継続的に受けることにより刷り込みされる場合がある。子供がよくテレビＣＭで流れる特徴的なコピーを口ずさんでいることがある。それも自分には必要ない洗剤や食品のＣＭである。これも刷り込みの結果である。企業はこの刷り込みをするために、購買前検索をしていない消費者に向けても広告を流し続けるのだ。

　時間をかければいくらでも必要な情報を入手できる環境にあったとして

も、消費者は驚くほど少ない外的情報で購買を決定することがわかっている。例えば、最近スーパーでは野菜や肉のトレーサビリティが認知できるように、生産者の名前や写真が貼ってあったり、産地がわかるようになっている。しかし、実際にそれらを読んでから購入する客はそれほど多くないはずだ。ほとんどの客は、トレーサビリティ情報が掲載されているという事実に安心を覚え、それ以上のリサーチはしないのではないだろうか。

　これは大型家庭電気製品や乗用車など高額商品でも同様である。オーストラリアで行われたリサーチでは、乗用車の購買に際して、１／３以上のバイヤーはディーラーに１度か２度しか足を運んでいなかった。（ⅰ）別のリサーチによると、おもちゃの場合87％、家電は60％の消費者が最初に訪れた店で購入していた。おもちゃや家電の場合、品揃えの豊富なオンラインインストアやトイザらスやビックカメラなどカテゴリーキラーと呼ばれる大型専門店の存在も影響している。アメリカでは、複数のブランドが併合された大型カーディーラーショップも存在するのだ。このような店に一度足を運べば、相当数の商品を手に取って見ることができる。このような店舗の大型化はますます加速するに違いない。

　最近、日本でもショッピングモールと呼ばれる店舗を100店以上も集めた複合ショッピングセンターが郊外に建てられているのは、みなさんご存じの通りだ。

　情報入手に熱心でない消費者も、必要な情報が効率よく手軽に入手できるようになれば、もっと積極的に収集するだろう。今、アメリカのケーブルテレビ局は、インターラクティブなサービスを提供するためデジタル回線化を急速に進めている。映画やスペシャル・イベントはすでにオンデマンドで見ることができる。早送りや巻き戻しもできるようになっている。同じように、広告主もオンデマンド用の広告を作ってケーブル配信している。自動車や不動産など関与の高い商品を購入するときには、映像で商品の詳細まで知ることができたら購買者にとっては利用価値があるはずである。これらの情報にはコンテンツとしての価値があり、消費者が積極的に検索するのである。

　最近、ケーブルテレビ局は、加入者を郵便番号でセグメンテーションし、

それぞれの地区に異なった広告を流すサービスを始めた。例えば、フォードのピックアップトラックのＣＭでは、最初の15秒は同じ画像を流し、後半15秒では裕福層の地域には上級モデルを紹介し、労働者層の地域ではエントリーモデルを宣伝するのだ。アメリカでは地域ごとに収入や人種など同じような属性を持った住人が集まるので、企業はこのようなきめ細かいキャンペーンを展開できる。受け取るほうも、自らのニーズにより関連性の高い情報を入手できるので便利なわけである。

　情報の信憑性も消費者にとっては重要な影響要因である。同じ情報でも情報を入手する媒体によって信憑性は大きく異なる。アメリカの消費者1000人に対して行なわれた電話調査（Wirthlin Worldwide National Quorum）によれば、媒体の信憑性ランクは下記の通りとなる。

　1．情報誌コンシューマーリポーツ（Consumer Reports）；2．友人の口コミ；3．新聞記事；4．雑誌記事；5．ネットワーク局の夕方に流される番組；6．ラジオニュース；7．セミナー；8．テレビのトークショー；9．ウエブサイト；10．インフォマーシャル；11．テレビＣＭ；12．雑誌広告；13．店員；14．ＤＭ；15．有名人の保証宣伝。

3 情報量

購買リスクと関与度が高いほど、情報収集量は増える

A．重要度との関連

　原則的に、製品の重要度が増すほどに、あるいは購買者の関与が高まるほどに情報収集量は増えていく。個人差はあるが、若いほど、あるいは教育レベルが高いほど情報収集意欲が強いというデータも出ている。さらに教育レベルの高いミドルクラスの消費者のほうが、低所得者層よりクーポン券の利用率が高いという。選択ミスによる経済的損失が大きい低所得者は、高額所得者より綿密なリサーチをしそうだが、逆に、より少ない情報で選択をしているのだ。

B．熟練度との関連

　熟練度・経験と情報収集量の関係はどうだろうか。これは一般に山形になると言われている。つまり、ビギナーとエキスパートの情報収集量は少なく、中間に位置するアベレージ層が最も熱心に情報収集に努めるのだ。ビギナーの場合、情報を収集してもそれを分析する能力がない。したがって、情報はエキスパートから口コミで得たり、ブランド名、価格、店の雰囲気など外的要因（extrinsic attributes）に頼ったりする。一方、エキスパートはすでに相当量の情報を得ているし、経験も豊富にあるので、収集も必要情報を的確に効率よく行うことができる。趣味を持つ人なら理解できると思うが、そこそこの知識を持ち、そこそこ熟練した時ほど、その趣味に打ち込むことが楽しいし情報収集欲も旺盛になる。

図12 ◎熟練度と情報量

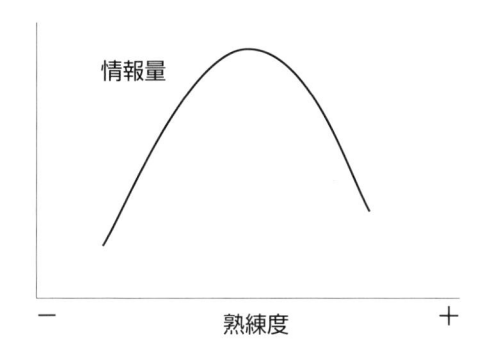

C．リスクとの関連

　情報収集はリスクとも大きな関連がある。リスクが高くなれば情報収集量が増えるというわけだ。リスクには、いくつかの種類がある。第1に、金銭的リスクが挙げられる。高額商品であればあるほど、購買者の経済状態が脆弱であればあるほど、金銭的リスクは高くなる。購買者のコストには、商品の価格のみならず、運送費、付属品のコスト、製品を使うためのトレーニングコスト、メンテナンスコストなども含まれる。不動産などは、物件や買い手を探すのに大きなコストがかかる。例えば、ニューヨークで借家やアパートを探すとなれば、年間家賃の15％は手数料として不動産業者に支払わなければならない。また、家を売る場合には売値の6％が手数料となり、売り手と買い手の代理人（不動産業者）が半分ずつ受け取る。

　第2に、製品が本来の機能を果たさない可能性がある。技術的に複雑であったり、イノベーティブな製品であれば、機能的リスクは増大する。また、結果がはっきり分からない商品もこのリスクが高い。例えば、サプリやダイエット関連商品は、どれほど効果があったのか測るのが難しい。

　第3に使用上物理的な危険を及ぼす性質の製品もある。刃物や電気を使う製品がその例だ。また、おもちゃやベビー用品は使用者が子供だけに、

それだけで物理的危険が高くなる。

第4が時間的リスクである。使用できるようになるまで設置やトレーニングに時間がかかるとか、製品が届くまで時間がかかるなどがその例だ。

第5に心理的リスクである。製品の使用が難しくて苦痛に感じたり、他人がどう思うか気にしたりすれば精神的負担になる。

最後に、消費者にとって極めて重要なリスクが社会的リスクだ。これも心理的に作用する。社会的批判を受ける商品の例を挙げよう。酒を飲みすぎたり、電車の中で携帯電話を使ったり、公共の場でタバコを吸ったりすれば、社会から非難される。

また、服、靴、アクセサリーなどのファッションアイテムは露出度が高いので、時代遅れやセンスの悪い商品を身に着けていると回りの人にバカにされる。これも社会的リスクである。これらを購入する際には、ファッション雑誌で継続検索したり、店員や友人の意見を尊重したりするだろう。特に友人や同僚など身近な人の影響は絶大だ。

図13◎リスクの種類

1	**金銭的リスク**:	商品価格、サーチコスト、維持費、トレーニングコスト
2	**機能的リスク**:	品質、性能、使用難度、修理のしやすさ
3	**物理的リスク**:	使用上の危険性（刃物、電気、燃焼物、動力を持つ）
4	**時間的リスク**:	配達、設置、立ち上げ、トレーニング、使用にかかる時間
5	**心理的リスク**:	選択ミスによる心理的苦痛、自分の信念やセルフイメージに合わない
6	**社会的リスク**:	酒やタバコなど社会的にイメージの悪い商品、服や靴など露出度が高く他人の目が気になる商品

4 統合型マーケティング・コミュニケーションとインターネット

ウェブサイトに引き込むことで消費者関与を高める

　満足なリサーチをせずに購買を決める消費者を相手にする企業は、積極的に情報提供をしなければならない。プロモーション費用がテレビCMに大きく偏っていたり、新商品の告知をウェブでの案内程度にとどめたりしていては、正しい情報をマーケットに伝えることは困難だ。

　さまざまな媒体を複合的に利用する統合型マーケティング・コミュニケーション／IMC（Integrated Marketing Communications）を実践することが極めて重要である。アメリカでは近年、同コンセプトが新たな局面を迎えている。ただ単に、新聞、雑誌、テレビ、DMなど複数の媒体を組み合わせてメッセージを流すのではなく、ウェブサイトをコミュニケーションのハブに据えて、コミュニケーション・ネットワークを築いているのだ。

　まず、リーチ力の強いテレビ、雑誌、新聞などのオフライン・メディアを使ってURLを告知し、視聴者、読者をウェブサイトに引き込む。ウェブ上では、詳細な商品情報を提供するだけでなく、商品直販をはじめイベントへの招待、クーポンの配布、懸賞の申し込みなど、実にさまざまな消費者参加型の企画がなされている。ビジターがこれらの企画に参加すれば、企業はマーケティング活動に必要な個人情報を得ることができるわけだ。テレビやプリント媒体など、従来のオフライン・メディアはブランドの知名度を高めるとともに、ウェブサイトに視聴者を引き込むことにも重要な役目を果たしている。ウェブサイトに引き込むことで、消費者関与は確実にアップする。

図14 ◎ IMC

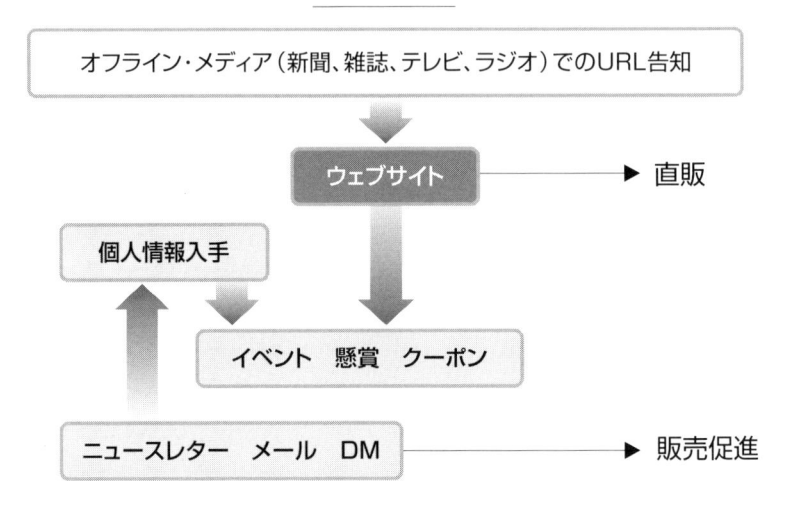

```
オフライン・メディア（新聞、雑誌、テレビ、ラジオ）でのURL告知
                    ↓
                ウェブサイト  ────→ 直販
                ↙        ↘
    個人情報入手      イベント 懸賞 クーポン
         ↑                ↓
    ニュースレター  メール  DM  ────→ 販売促進
```

出典：宣伝会議（2004年7月号）P.62

　例えば、2004年のキャンペーン期間中www.seewhathappens.comというサイトがあった。これは、広告代理店のドイチ（Deutsch）が作った三菱ギャランのテレビCMの最後に出てくるURLだ。併走する2台のトレーラートラックから、ボウリングボールやバーベキューグリル、ゴミ缶などが次々と投げ出され、後ろの三菱ギャランGTSとトヨタカムリXLEが、それらを左右にかわしながら走るシーンが続く。そして最後に、これでも避けられるかと言わんばかりに、ボロ車がトレーラーから滑り出したところで、前述のURLが出るのだ。結末はウェブサイトで見てください（see what happens）、というわけだ。同CMは2004年のスーパーボウル放映時に流され、28時間で17万人のユニークビジターがサイトを訪れたという。

　インターネットの普及がこの新しいモデルの前提条件となっているのは言うまでもない。UCLAが行ったリサーチによれば、平均的ユーザーは1週間に12時間インターネットを利用し、利用時間の半分はテレビの視聴を削って確保している。インターネットユーザーは、ノンユーザーより

28%テレビの視聴時間が短いのだ。また、ユーザーは2、3分だけインターネットに接続するような使い方をする。ということは、テレビとPCを同時に見ながら、CMが流れる2、3分間は、肝心の広告を見ずにネットを利用していることが推測できる。

車、旅行から一般消費財へ広がるオンライン・マーケティング

アメリカでは、70%のカーバイヤーがインターネットを最も重要な情報源と位置づけている。今やどの自動車メーカーでも、インターネット上で購買をほぼ完了できるようにホームページをデザインしている。消費者は狡猾なセールスマンと値引き交渉することに辟易しているので、ネットでの明快な取引を歓迎しているのだ。

ただし、現行の法律では、メーカーによる直販は禁じられているため、車の受け渡しは、購入したモデルを在庫に持つ最寄りのディーラーで行われる。ディーラーとしては販売コストをかけずに客を紹介してもらえるので、コミッションが通常より低くてもメーカーによるインターネット販売を歓迎しているようだ。

オンライン販売が最も盛んなのが旅行業である。航空券、ホテル、レンタカー、テーマパークの入場券など全てオンラインで購入できる。アメリカ企業の23%は全ての旅行をオンライン・ベンダーから購入しているのだ。マクドナルド社は、北米大陸の旅行に関しては全て、オービッツ（www.orbitz.com）から購入する契約を結んだ。

また、代理店を通さずにチケットを直販するジェットブルー航空やサウスウエスト航空では、70-75%がオンラインで購買されるという。ちなみに、今アメリカの空港でエアラインのチェックインカウンターに並ぶ人は本当に少なくなった。自宅のパソコンでチェックインを済ませ、インクジェット・プリンターで打ち出した搭乗券を持って来るからだ。そうでない客は空港内のキオスク（端末）でセルフ・チェックインをしている。

車や旅行は以前からオンライン・マーケティングが盛んであったが、最近では一般消費財まで販促にオンラインを利用している。例えば、紙おむ

つブランドのハギーズ（Huggies）は予算の50%をオンラインを含むリレーションシップ・プログラムに割り当てている。スニッカーズ（Snickers）チョコレートバーはウェブサイトを活用したプロモーションを企画し、その結果、サイトを訪れたユーザーはそうでないユーザーに比べ2倍の確率で商品を購買したという。

　最近、P＆Gは傘下にある8つの健康関連ブランドを統合し、Health Expressions.comというサイトを立ち上げた。このサイトでは健康に関する情報を提供し、スポンサーブランドとの融合を図っている。これに先立って、同社ではHomeMadeSimple.comを成功させている。このサイトでは400万通のニュースレターを配布する。これは、人気雑誌マーサ・スチュワート・リビングの購読者数をも上回る数字だ。

　クラフト社のKraft Food ＆ Familyというニュースレターも300万人の読者を持つ。各ブランドとも主要消費者層に狙いを絞って、リレーションシップを結ぼうとしているのだ。このような企業が発行する雑誌やニュースレターを最近よく目にするようになった。

i　Michael Solomon, Consumer Behavior : Buying, Having, and Being（Upper Saddle River : Prentice Hall, 2002）p.262.

第8章 学習（Learning）

あなたは、顧客がどのように自社製品やブランドについて学習するか考えたことがありますか？
学習を助ける活動をしていますか？

1 学習論とは

行動主義的学習論と認知学習理論

　消費者は、能動的、受動的に摂取した情報をどのように学習するのであろうか。学習結果は態度や行動に影響を与え、比較的永続的な変化をもたらす。消費者は商品知識をどのように学習するかがわかれば、態度・行動の変化を促す手がかりがつかめる。つまり、自社ブランドに対して好意を持ち、それを購入するように仕向けることができるのである。

　学習は熱心に情報を摂取して起こる場合と、情報に晒されることで受動的に起こる場合がある。テレビコマーシャルのジングルを知らず知らず口ずさんでしまうような経験は誰にでもあるはずだ。

　学習には大きく分けて"行動主義的学習論"と"認知学習理論"の2つの考え方がある。

　行動主義的学習論（behavioral learning theory）では、学習は刺激と反応、あるいは試行錯誤によって起こると説く。行動主義的学習論では、消費者の思考プロセスには主眼を置かず、思考回路にインプットされる刺激と、アウトプットとなる反応に着目している。代表的な理論に古典的条件づけの理論と道具的条件づけの理論がある。古典的条件づけではインプット、道具的条件づけではアウトプットに焦点を合わせた。

　古典的条件付けでは、刺激を繰り返し与えられることで学習する。例えば、マールボロのカウボーイを何度もインプットさせられる内に、我々はマールボロは男性的なブランドであることを習う。道具的条件づけとは簡単に言えば、経験則から学ぶということである。あるレストランで食事をしてまずければ二度と足を運ばないだろう。

　一方、認知学習理論（Cognitive Learning Theory）では、学習は複雑

図15 ◎ 行動主義的学習論

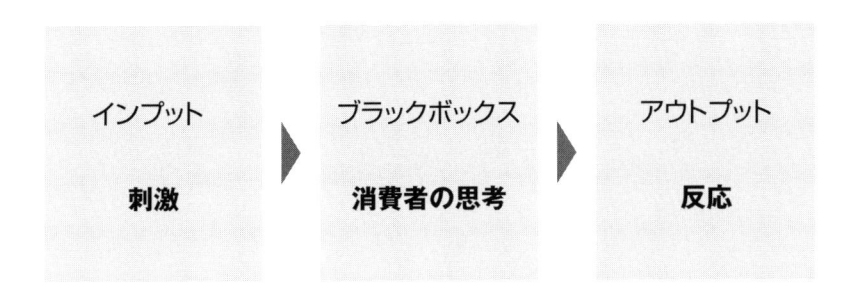

インプット	ブラックボックス	アウトプット
刺激	**消費者の思考**	**反応**

な思考プロセスによって起こると主張する。全ての学習が試行錯誤や刺激に対する反応によって起こるわけではなく、消費者は考え、問題解決することによっても学習する。学習は試行ではなく思考の結果起こるというのが認知学習の理論である。消費者は、ブランド名、製品特性、価格、販売店などさまざまな情報を処理して合理的な結論を出すという考えだ。認知学習は必ずしも経験を必要としない。例えばポルシェを運転したことのない消費者でも、スペックを比べたりテストリポートを読んだりすればその性能の高さを学ぶことができる。

2 古典的条件づけの理論（Classical Conditioning Theory）

なぜ、タバコの宣伝に美しい自然の風景が使われるのか？

　古典的条件づけ理論では、全ての生き物は条件反射により受動的に反応するという。この原型が有名なパブロフ（Pavlov）の犬の実験である。ここで簡単に実験をおさらいしてみよう。

　犬はベルの音を聞いても何も反応しない。一方、餌を与えれば、それを見ただけで唾液を分泌する。餌は無条件刺激（unconditioned stimulus）であり、唾液は無条件反応（unconditioned response）となる。

　次に餌を与える前にベルを鳴らしてみる。最初はベルの音では何の反射もしないので、ベルの音は中性刺激であり（neutral stimulus）、続いて与えられる餌は無条件刺激、そして唾液はこの時点ではまだ無条件刺激である。

　餌を与える前にベルを反復して鳴らすことで、中性刺激のベルの音が条件刺激（conditioned stimulus）となり、そして、犬はベルの音を聞いただけで唾液（条件反応）を分泌するようになる。ベルが鳴れば、唾液が分泌されるという自律反射が形成されるのだ。

　この古典的条件反射を人間に当てはめるとどうだろう。レモンや梅干を見ただけで唾液が分泌されるようなことは誰にでもあるはずだ。人間も無条件刺激に対して無条件反応を起こすのだ。それではこれに条件刺激を加えるとどうなるか、いくつかマーケティングに関連する例を挙げてみよう。

　消費者の無条件反応として、空腹感を覚える、喉の渇きを覚える、幸せを感じる、安心する、優越感に浸るなどがある。それに対して、食品の匂い、きれいな景色、有名人、ブランドイメージなどが無条件刺激となる。そして、マーケティングでの条件刺激は、商品、店舗、ブランドなどだ。

図16 ◎古典的条件づけ

1　ベル ＞＞＞＞ 反応なし

2　餌（無条件刺激）＞＞＞＞ 唾液（無条件反応）

3　ベル（中性刺激）＞＞＞ 餌（無条件刺激）＞＞＞ 唾液（無条件反応）

4　餌を与える前にベルを反復して鳴らす

5　ベル（条件刺激）＞＞＞ 唾液（条件反応）

　例えば、タバコの宣伝でよく使われるのが、きれいな水の海や川、澄んだ空の背景だ。そこにタバコのパッケージがかぶせられる。人はきれいな景色に対して、無条件にすがすがしい気持ちを覚える。その無条件刺激に、条件刺激となるタバコのパッケージを加え、反復して消費者に見せるのだ。美しい自然を背景に、タバコのパッケージを写した広告を繰り返し流すのである。広告で美しい景色とタバコのパッケージを見せられた消費者には、自然の美しさが刷り込まれる。自動販売機の前でその風景を思い出すことはないが、広告に何度も晒されているうちにそのブランドに対してすがすがしいとかリラックスするというような印象がわずかでも出来る。すがすがしい自然の背景でなく、男性的なイメージが投影されるブランドもあれば、都会的な感じがするブランドもある。

条件刺激が無条件刺激より先に表れると効果が高い

　車の内装ではどうだろう。我々は、革張りで木目があしらわれている高級車の内装をよく見る。これと同じような内装のエコノミーカーを見れば、たとえそれが本物の木肌や皮でなくても、条件反射的に高級感が呼び起こされるかもしれない。

　有名人も条件刺激となる。例えばタイガー・ウッズと言えば、あの300ヤードを越える豪快なドライバーを思い浮かべるゴルファーは多いはずだ。そして、タイガーはクラブから帽子に至るまでナイキで身を固めている。プロショップでナイキのゴルフボールを買う客の多くは、タイガーのイメージを思い浮かべるはずだ。

　ブランドマークを無条件刺激として利用しているのがラルフローレンである。ラルフローレンはポロのプレーヤーをマークとしている。ポロのエレガントなイメージが消費者の頭の中に刷り込まれ、商品にもその洗練されたハイソサイエティなイメージが重ねられていくのだ。

　店のドアやレジの横などに貼ってあるクレジットカード会社のマークも条件刺激となる。クレジットカードで買い物をする場合、現金で買うときよりも心理的に出費の痛みが少ない。つまり、安心して買い物ができるわけだ。店内でクレジットカードのサインを見つけた客は、安心して計画より多く買ってしまうという仮説が成り立つ。

　企業はよく慈善事業やイベントのスポンサーになる。ガン撲滅のため研究費を寄付したり、環境保護団体を支援したり、オリンピックやチャリティゴルフ大会のスポンサーになったりする。これにも、条件反射の理論が適用できる。慈善事業やイベントが無条件刺激となり、それらの活動に消費者は無条件に好感を持つ。そこに条件刺激である企業のロゴや名前が重ねられるのだ。

　条件刺激と無条件刺激の取り合わせは、タイガーとナイキのように、論理的でなければならないが、意外な取り合わせであると、条件反射が起こりやすい。タイガーはアメリカンエクスプレスやコンサルティング会社の

アクセンチュアにも起用されている。年は若いが成熟し、冷静沈着に判断し、社会的にも尊敬されるイメージが商品にも投影されるわけだ。

　条件刺激が無条件刺激より先に現れると効果が高いという調査結果がある。パブロフの実験でも、ベルを鳴らしてから肉を与えて反応を導き出すので、原理的にも正しいことになる。例えば、タバコのコマーシャルなら、まずタバコのパッケージあるいはタバコを吸うシーンが出てからきれいな景色が出てくるほうが、その逆より条件反射が起こりやすいということだ。

　条件刺激は、継続的に無条件刺激とペアリングさせなければ視聴者は忘れてしまう。この理論を応用する最大のポイントは"反復"である。繰り返すことで両者の結合が強くなり、消費者が連想しやすくなるのである。

　ただし、同じ広告を何度も何度も出し続けると、消費者はそれに慣れてしまい（アダプテーションを起こし）逆に想起され難くなるという研究結果もある。その場合、伝えるメッセージのテーマはそのままに、プレゼンテーションを変えるような試みが必要だ。先のタバコの例なら、同じ風景ではなく、海、川、氷河、夏、冬と描写を変えるのだ。

Column 5

刷り込み効果

　先日こんなことがあった。ニューヨークはテロの危機にさらされ、住民の神経がかなりたかぶっている。地下鉄や通勤電車に乗れば、「持ち主のいないバッグなどを見つけたら速やかに通報するように」と何度も繰り返しアナウンスされる。バスのターミナルや空港でも同じメッセージが繰り返される。毎日これを聞かされる筆者は、潜在意識に"持ち主のいないバッグは危険"と刷り込まれてしまった。ある日、教室に大きめのバッグが置き去りにされているのを見つけたときには、何となく落ち着かなかったものだ。しばらくすると生徒が取りに来たが、あと数分誰も来なかったら警備員を呼んでいたかもしれない。刷り込みは個人の問題意識や関心事などに関連している場合、かなり効果を発揮する。

　ただし、この刷り込みも何度か同じ広告を繰り返す内に効果が薄れ、反応が鈍くなる（advertising wear-out）。反復が過ぎると逆に記憶が薄れるという調査結果さえ報告されている。それを防ぐためには、背景やＢＧＭ、プレゼンテーションの手法を変えるなどの手段が求められるのだ。筆者が聞かされたアナウンスも駅、空港、地下鉄と媒体が複数であったから効果があったのだ。

Ａ．刺激般化（Stimulus Generalization）

　先のパブロフの犬の実験では、若干異なった刺激に対しても同じように反応することが証明されている。ベルの音に似た鍵をジャラジャラさせる音にも同じように反応したのだ。これを"般化"と呼ぶ。

　般化もマーケティングに応用されている。例えば、類似商品が売れるのは、般化が起こっているためだ。特にパッケージ・デザインまで似せて作っている場合に、この傾向は顕著である。スーパーや薬局では、メーカー・ブランド商品のパッケージに酷似したストア・ブランドの商品が並ん

でいる。消費者は同じような見かけなので差異はないだろうと無意識に仮定するのだ。

　今話題のライブドアのホームページを訪れれば、ヤフーそっくりなのに気づく。利用者としては、どちらを使っても検索能力に差異はないはず、と般化が起きているのではないだろうか。

　確立されたブランドをさまざまな商品に利用するブランド・エクステンションも般化を狙った戦略である。信頼するブランド名のついた商品なら、消費者は安心して購入する。ただし、オリジナル商品と新しい商品との関連性が薄いと、イメージの移転効果は薄れる。極端な例を挙げれば、マクドナルド銀行とか、トヨタ化粧品では、消費者の信頼を得ることはできない。ホンダはバイク、自動車、アウトドア、マリンエンジン、ジェット機とエンジンを軸としてラインを拡張した。ソニー銀行、ソニー生命保険には、ソニーの斬新性、独自性というイメージが投影される。目に見える技術であっても、見に見えないブランドイメージであっても、ぶれない軸が必要なのだ。

　店のイメージも大切である。有名でないブランドでも、販売する店舗が信頼されていれば、その信頼が売られている商品全般に般化される。同じように原産地にもそのような効果がある。イタリア製の革製品、フランス製のレース、ドイツ製の機械などは原産国表示がつくだけで商品のバリューが上がる。

　般化がネガティブに働く場合もある。ひとつの商品に問題が起きれば、同一のブランド名を持つ他の商品まで、同じように見られる可能性がある。そして負の連鎖は会社外に広がる場合もある。1996年に、バリュージェットという弱小の航空会社が、整備不良のため墜落事故を起こした。その結果、他の小規模航空会社も客を減らしてしまったのだ。客は小規模航空会社をひとつのグループとしてみなし、全て整備を行っておらず墜落の可能性があると判断したのである。

　こんな例もある。筆者は最近薄型のデジタルカメラを購入した。このカメラが立て続けに三度も壊れてしまった。故障の原因は、小さな空間に部品を無理やり詰め込んだからではないかと勝手に結論づけた。メーカーを

問わず、次にまた薄型カメラを買うことはないだろう。これもネガティブな般化である。実はこの薄型カメラを選んだ理由は、販売員の「これはレンズが飛び出すタイプではないので、故障が少ないですよ」という言葉だった。それまで所持していたデジカメは、まさにこのレンズが飛び出さなくなって二度修理した経験があったので、この売り文句は利いた。これは次項で説明する"道具的条件づけ学習"なのである。

B．刺激弁別（Stimulus Discrimination）

　般化とは逆に、似たような条件刺激に対して異なった無条件反応を示す場合がある。例えば、高級デザイナーズブランドを購入する消費者は、ロゴや商品デザインを真似た模造商品を欲しいとは思わないだろうし、嫌悪感さえ示すだろう。

　企業は、競合他社の製品と刺激弁別を図る努力をしなければならない。どんな商品でも他社が真似できない要因、顧客が購買するユニークな理由があるはずだ。唯一のポジションを確立し、条件刺激を際立たせ、継続的にブランドとポジションを結合させるメッセージを繰り返し流し続ける（反復する）ことで、消費者の頭の中にそのイメージが刷り込まれる。この弁別刺激が刷り込まれれば、他社の追従が困難になるのである。どんな商品でも早晩、類似品が現れる。類似品にシェアを奪われる前にブランドを認知させることが肝要である。消費者は先行者に対して忠実になる傾向があるのだ。

3 道具的条件づけの理論 (Instrumental Conditioning)

報酬を繰り返し与えることが学習のカギ

　古典的条件づけは、条件反射、反復、般化、弁別など、消費者行動を知る上で重要なコンセプトを提供したが、これだけでは全てを説明することはできない。消費者は、広告で強調される製品の便益を求めて購買行動を起こすことがある。つまり、消費者は単に条件反射をするだけでなく、益を求め、害を避ける結果を求めようとするのだ。消費者は試行錯誤（try and error）によって、益・害を与える商品を学習すると説いたのが道具的条件づけである。これをオペラント条件づけとも呼ぶ。古典的条件づけでは、単に条件反射を起こすことが説明されたが、道具的条件づけでは、消費者は自発的に結果を求める行動を起こすとされている。

　ある店で、自分の好みのシャツが手ごろな価格で売られていたとしよう。この"手ごろな価格の好みのシャツ"はシャツを探している購買者にとっては報酬（reward）である。次に行ったときも、探しているものが見つかったら、その報酬が強化され、ロイヤリティが高まるはずだ。ブランドロイヤリティとはこのように正（ポジティブ）の経験が積み重なることで築かれるのである。

　アメリカの心理学者スキナー（B. F. Skinner）は、レバーを引くと餌が出るように作られた箱（スキナー・ボックスと呼ばれる）にネズミや鳩を入れ、実験を繰り返した。餌という報酬を与えるだけで、鳩がピンポンをしたり、ダンスを踊ったりする芸を仕込んだのだ。

　人間でも動物でも、報酬を繰り返し与えることが学習のカギとなる。もうひとつ身近な例を挙げよう。人に挨拶をするという行動は、その挨拶に対して相手から挨拶が返されることによって維持される。そして、それが

何度も繰り返されることによって、その人の挨拶する習慣は高まる。しかし、相手から挨拶や会釈が返ってこなかったり、無視され続けたりした場合、その人の挨拶行動は失われるのだ。自発的な行動に伴う結果によって、その行動が維持されるか、強められるか、それとも弱められるかが決まるのである。

　筆者は、顧客サービスで有名なノードストローム・デパートでよく買い物をする。それはいつ行っても、どの店員に当たっても気分を害されることがないからである。行くたびに"気持ちよく買い物が出来る"という"報酬"が与えられるので、"来店"という行動が強化されるのだ。

正の強化子と負の強化子

A．報酬と罰

　報酬には2つのタイプがある。ひとつは正の強化子（positive reinforcement）あるいは好子と呼ばれる報酬だ。ある食品を買って食べたら期待以上のおいしさだったとか、石鹸が肌に合うとか、靴が足にぴったりフィットするなど、購買行動を強める因子である。航空会社のマイレッジプログラムや、電気器具店のポイントカードも正の強化子としての働きをする。

　2つ目の報酬は負の強化子（negative reinforcement）あるいは嫌子と呼ぶ。こちらは負の刺激（嫌子）を取り除くことで行動を強化するという考え方だ。痛みや不安など、消費者が避けたいと願う結果を除去することによって購買行動を強めるのだ。しわをのばす、悪臭を除去する、空気をクリーンにする、しみを抜くなどが嫌子に含まれる。また、回転ずしが一般化したのは、不明朗会計という嫌子を取り除いたからだ。

　一方、行動が望ましくない結果を生めば、それが罰（punishment）となる。罰は行動の抑制をもたらす。例えば、罰金は違法駐車という行動を抑制するし、着ている洋服を友人にバカにされたらその服は二度と着たくないと思うだろう。通販やネット販売において、郵送料、手数料は購買行

動を抑制する罰として作用する。アマゾンなどのオンラインショップはその罰を与えないことで顧客価値を高めているのだ。

B．強化

　前述したように強化を怠れば、行動は消去してしまう。強化には、行動すれば必ず強化子を与える連続強化（continuous／total reinforcement）と、時々与える部分強化（intermittent／partial reinforcement）とがある。連続強化には学習の即効性が認められるが、強化が止まれば行動の消去も早い。例えば、"1万円以上購入で10％値引き"といったプロモーションをよく見る。あるいは、ディナーの後に無料でデザートをサービスするレストランもある。このようなプロモーションに客は素早く反応を示すが、プロモーションが終われば客足は遠のいてしまうのだ。シーズンごとに繰り返されるバーゲンセールも連続強化の例である。セールが終われば通常売上げはがくっと落ち込む。

　一方、部分強化には即効性はないが、消去も遅いという利点がある。つまり、一度学習されれば、行動が継続的に行われるのである。例えば、一度宝くじに当たったことがあれば、その後も買い続ける傾向が強まる。いつ当たるかはわからないが、当たるかもしれないという期待から買い続けるのだ。このように不規則に強化子を与える方法を間欠強化（variable ratio reinforcement）と呼ぶ。この方法は、消去抵抗が最も高いとされている。例えば、行きつけの店でたまに特別なサービスを受けたり、ギフトをもらったりすると、その印象が深く刻み込まれるのだ。

　定率強化（fixed ratio reinforcement）と呼ばれる方法では、特典を定間隔で与える。レンタルビデオ店で10本借りたら次はただになるとか、スタンプを10個集めたら景品と交換するなどのプロモーションがその例だ。

C．シェーピング（Shaping）

　消費者にある行動を起こさせる前に、強化子を与え購買行動を形成する

手法をシェーピングという。シェーピングすることで、例えば購買の確率を高めるのだ。また、新規顧客を獲得したり、新商品を売り出したりするときによく行われる。店舗を経営していれば、客を店内に呼び込むことが第一の目的となる。そのために、商品を破格の価格で提供したりする。スーパーではよく格安の卵を広告に載せて客を釣る。格安の卵が来店という行動を促すのだ。新製品の無料サンプル提供も、その商品の使用を強化するためのシェーピングである。他には、サンプルやクーポン券を配布したり、特売品を提供したり、来店した客に景品を渡したり、富くじやコンテストに参加させたりするというのもある。クライスラー社は、ディーラーを訪れて試乗すれば、もれなく現金をその場で渡すキャンペーンを行ったことがある。ＧＭもディーラーを訪れた客に新車が当たるコンテストを行い、車の購入を促すために０％ローンや数千ドルの値引きの部分強化も同時に提供した。

　マーケターは正の強化子をどのように与えるか、負の強化子をどのように取り除くか、どのようなタイミングで行うかを常に研究しなければならないのだ。

D．観察学習（Observational Learning）

　消費者は自ら経験しなくても、他人を観察することで学習できる。他人がある刺激に対してどのような反応を示し、結果がどうなったかを観察するのだ。その結果がポジティブであれば、行動を模倣する。

　消費者の場合、観察学習の対象となるのは、ロールモデル（role model）と呼ばれる憧れの人である。これらは準拠集団と呼ばれ、エキスパートであったり、社会的に地位があったり、成功者や有名人だったりする場合が多い。広告ではよく製品使用者の成功体験を再現したり、体験談を利用したり、有名人を起用したりする。この場合、消費者に直接強化子を与える必要はない。オピニオンリーダーを選び出して、彼らの影響力を利用すればよいのだ。モデルが強化されるのを見て学習するのである。準拠集団とオピニオンリーダーに関しては11章で詳述する。

4 認知学習論

個人の信念、価値観、知識が意思決定に影響を及ぼす

　行動主義的学習論ではブラックボックスとされていた消費者の思考回路に着目したのが認知学習論である。人間は問題解決をするために積極的に情報処理を行うという考え方だ。消費者は目的を持ち、その目的を達成するために購買行動を起こし、その商品によって問題解決を図るのである。

　車やＰＣなどを購入する場合、ブランド、価格、性能、スペックなど複雑な情報を処理して商品を決定する。また、同じ刺激が与えられたとしても、状況の変化や心理的影響によって反応は変わることがある。さらに個人の信念、価値観、態度、期待感、理解、知識なども意思決定に大きく影響する。つまり、消費者の思考回路はブラックボックスではないのだ。

　学習結果は個人の知識が変わることで証明され、それが行動変化につながる可能性があるのだ。ブランドＡがよいと信じている消費者も、ブランドＢの性能を知ることによってＢを購買するということだ。

　近年の消費行動研究者の間では、古典的条件づけも認知学習と関連していると考えられている。つまり、人間はただ単に刺激に対して生理的な反応を示すのではなく、ひとつの刺激と反応の関係は複雑であり、他の物体や事象とさえかかわりを持っているというのだ。例えば、有名人を広告に見つけて、単にきれいとか力強いというような印象を持つのではなく、その有名人の容姿、専門知識、社会的立場、商品との関連性、本人との類似性などを瞬時に分析することがある。人だけでなく、商品やパッケージにさらされたときに持つ第一印象は、実は複雑なメンタルプロセスを経ているというわけである。

5 関与と学習

右脳的購買と左脳的購買

　行動主義的学習論と認知学習論ではどちらが正しいのだろうか。学習パターンと密接に関連しているのが、4章で説明した消費者関与である。A子さんの購買行動を思い出してほしい。スーパーの棚にあった赤いパッケージに目がいった。そこに書いてあった"20％増量"に反応して、購買を決めたのである。つまり、刺激に対して反応したわけだ。一方、B夫さんは雑誌、インターネット、店員への聞き込みなど購買前情報収集を行った。こちらは関与の深い行動である。

　この2人の行動は、脳の働きとも関連性がある。右脳は直感、ひらめき、芸術性、創造性などをつかさどると言われている。対する左脳は論理的思考、言語認識、計算などの働きをする。A子さんは右脳的購買、B夫さんは左脳的購買をしたということができる。

　さて、A子さんのように、右脳型の購買をするタイプは、右脳型のメッセージを右脳型の媒体で流すことが効果的である。右脳型メッセージとは、情報を処理することなく、直感で反応できるようなシンプルな画像を利用したものだ。そして、右脳型媒体としては、テレビが典型的な例だ。テレビの視聴とは極めて受動的な行動である。テレビを見ながら積極的に情報を処理することはない。ただ、情報が頭を横切るだけだ。この右脳型のコミュニケーション手段を、心理学では、説得への周辺ルート（peripheral route to persuasion）と呼ぶ。

　一方、B夫さんのように、左脳型の購買をする場合には左脳型のメッセージを左脳型の媒体で流す。つまり、認知学習を促すのである。メッセージは画像よりも、細かいスペックなどが書かれた文書のほうが相応しい。

そして、メディアはじっくりと読める印刷媒体かインターネットを使うべきだ。こちらは、説得への中心ルート（central route to persuasion）という。

ソニーの出井会長（当時）は、テレビを後傾型、ＰＣを前傾型と表現した。後ろにふんぞり返ってリラックスして見るのがテレビ、かじりつくように認知学習をしながら見るのがＰＣである。洗剤のように反応型の商品は、画像を使った広告をテレビで流し、高額家庭電器製品などの認知型は、印刷媒体やインターネットを使って詳細な情報を伝える方法が効果的なのだ。

Column 6

右脳と左脳を刺激する

　最近の売れる商品にはひとつの傾向がある。それらの商品は、右脳と左脳双方を刺激して顧客満足を達成している。つまり、合理的要因（rational factors：品質、価格、サービスなど）と感情的・心理的要因（emotional／psychological factors：デザイン、ブランドイメージ、店舗イメージ、他人の視線など）をバランスよく満たしているのだ。

　靴を例にとってみよう。有名ブランド店にシーズン最新の靴を見つけたとしよう。デザインは斬新だが履き心地は取り立ててよいというわけではない。一方、外反母趾防止とか、骨盤がまっすぐになるとか、長時間歩いても疲れないというような機能を持つ靴が、インフォマーシャルや通販カタログなどで売られている。しかし、購買意欲を喚起されるようなデザインではないし、イタリアの有名ブランドのロゴが付いているわけでもない。

　それぞれが、デザイン性（心理的要因）、機能性（合理的要因）でそれぞれのターゲットに訴求して顧客を獲得しているわけだ。それではデザインに優れた有名ブランドの靴に機能性を加えたらどうだろう。後者であれば、機能性を犠牲にすることなく、デザイン性を高めたり、有名ブランドとライセンシング契約をしたりしてイメージを高めることができ

る。それらが付加価値となって顧客価値を高めるはずだ。

　例えば、ナイキの子会社であるコールハンは、エアーソールなどナイキの技術を応用してファッショナブルで履きやすい靴を提供している。また、これまで品質や職人気質を売り物にしていたコーチやイギリスの伝統でイメージを構築していたバーバリーは、斬新な商品デザインとブランディング戦略でそれぞれのコア・バリューにファッション性、デザイン性を付加し大きくシェアを伸ばしている。ブリーフケースや旅行バッグのトゥミ（TUMI）は機能的であり、しかもエグゼクティブ御用達というハイエンドのポジションを得ている。

図17◉機能性とイメージ性

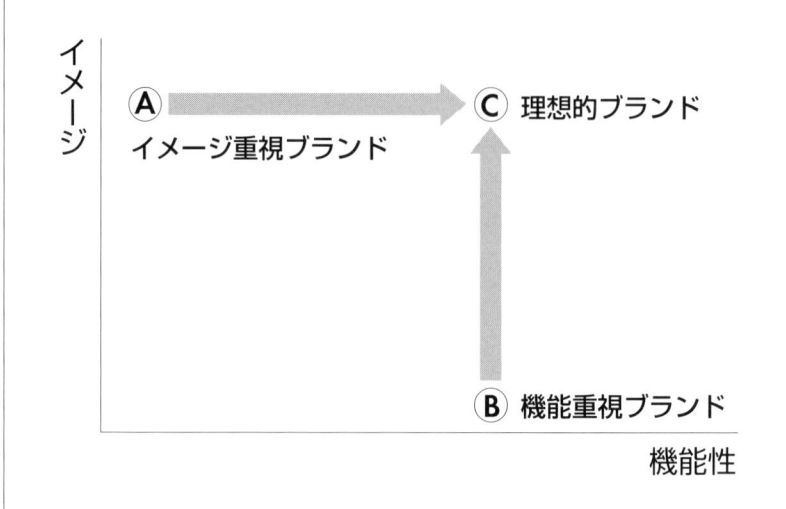

縦軸：イメージ　横軸：機能性

- Ⓐ イメージ重視ブランド
- Ⓑ 機能重視ブランド
- Ⓒ 理想的ブランド

6 学習結果の計測（Measures of Consumer Learning）

先発ブランドのほうが消費者の記憶に残りやすい

　企業のマーケティング活動によって、消費者がどれほど効果的に学習したかを計る尺度がいくつかある。まず、消費者が見た広告を覚えているかどうかを測る認知テスト（recognition tests）がある。認知率は助成想起（aided recall）をもとに計測される。テストを受ける消費者は、広告を見せられ、その広告を見たことがあるかどうか、その広告の特徴を覚えているかどうか聞かれるのだ。広告の他に、ブランド名や会社名などの認知率も測る。広告やパッケージなどのヒントを与えて「これに見覚えがあるか」と聞くので、助成想起と呼ばれる。

　一方、リコールテストは純粋想起（unaided recall）をもとに計測される。このテストでは何もヒントは与えられない。広告の掲載されている雑誌、コマーシャルが流された番組を見たかどうか、その中で対象となる広告・ブランド・特徴を覚えているかどうか聞かれるのだ。

　雑誌広告の効果を測る専門のサービスがある。最も有名なのがスターチ・リーダーシップ・サービス（Starch Readership Service）だ。スターチ・テストでは、1冊の雑誌を回答者に与え、読み終わってから、広告に気づいたかどうか（noted）、気づいた広告のブランド名を言えるかどうか（associated）、その広告のコピーを半分以上読んだかどうか（read most）を計測する。

　また、スターチ・テストでは他の同じようなサイズの広告と結果を比べる。そして、その結果をもとにコピーを修正したり、写真を変えたり、広告のサイズ、掲載される場所などを調整したりするのだ。広告のコピーは学習効果を左右する重要な要因である。

リコールにはさまざまな要因が影響を与える。まず、後発ブランドより、先発ブランドのほうが記憶に残りやすい。そのブランド名は、ただ単に会社名や文字合わせではなく、製品の特徴や機能を表す名前であればリコール率が高まる。例えば、「熱さまシート」とか「チン！してふくだけ」など、小林製薬の製品にはこの種のブランド名が多い。

予備知識のある商品は覚えやすい

　視聴環境も記憶に影響を与える。例えば、スポーツ番組の中では野球の試合中に流されたコマーシャルが、他のスポーツに比べて最もリコール率が低かった。これは、ハーフタイムやクォーター終了まで試合が流れるように進むサッカーやフットボールと違って、野球は投球１つ、打者１人、１イニングとプレイが細切れになるので、注意力がそがれるためだと言われている。同じように、セグメントごとに一段落するバラエティショーや歌番組中のコマーシャルは、ドラマや映画の間に流されるコマーシャルよりリコール率が低かった。

　一般的に、消費者にとって予備知識のある商品は覚えやすい。消費者がその商品を購入したり使用したりすればするほど馴染み深くなる。しかし、前述したように、あまり慣れすぎるとアダプテーションが起きて記憶が逆に低下するという研究結果も出ている。

　特異性、意外性もリコールに影響を与える。風変わりなメッセージや目立つパッケージはリコール率が高い。プロモーションも他と違うことをしなければならないのだ。同じカテゴリーに存在する別の商品がよく使うような言葉は避けたほうが賢明だ。同一あるいは類似した無条件刺激を利用しては、メッセージ（無条件刺激）とブランド（条件刺激）との結合が弱くなり記憶されにくくなるのだ。

　有名でないブランドの場合、コマーシャルの最初のほうでは名前を出さずに、何のコマーシャルだろうと思わせて最後にブランドを告げるような仕掛けがリコール率に寄与するという研究結果が出ている。

　写真やイメージを使った広告は消費者に気づかれやすいが、内容を理解

させるためには文字情報も与えなければならない。90%の消費者は、まず写真を見てから文字を読み出す。写真を使った広告のほうが記憶されやすいというリサーチの結果もあるので、双方を効果的に使うことが大切である。

写真1◎マンハッタンで見つけた映画専門チャンネルの壁面広告

第9章

消費者の知覚（Perception）

消費者はあなたの会社のブランドに
どのような印象を抱いているのか調べたことがありますか？

1　知覚・パーセプションとは

知覚とは外界からの情報や刺激を選択し、解釈するプロセス

　アメリカ映画やテレビ番組で、靴を履いたままベッドの上にごろんと寝転んだり、足を机の上に放り出すようなシーンを見たことがあるはずだ。彼らにとっては抵抗のある行動ではない。しかし、これは日本人にとって「感覚的に」受け入れられないだろう。逆に、音をたてて麺をすするような食べ方は、日本ではマナー違反でないとわかっていても、西洋人には「感覚的に」できないはずだ。この「感覚的に」という部分が消費者の知覚・パーセプション（perception）なのである。

　もちろん、上記のような感覚は生まれたときから持ち合わせているわけではない。経験や学習によって身につくものだ。知覚とは外界から得る情報や刺激を選択し、それらを組み合わせ、自ら持つ知識や価値感で解釈するプロセスである。例えば、薬局の棚にマウスウォッシュを見つけたとしよう。それらは大抵、透明なブルーかグリーンの液体である。ブルーは水、空の色、グリーンは木の色であり、一般的に消費者には新鮮でクリーンなイメージが焼きついている。自分では意識しなくても、マウスウォッシュ＝ブルー＝爽やかという構図が頭の中に出来上がるわけだ。これが知覚である。本当に爽やかかどうかは、試すまでわからない。しかし、爽やかなイメージは確実に構築されるのである。

　もうひとつ身近な例を挙げよう。我々は、身長1m80cmとか気温25度と聞けば、イメージをすぐに描くことができる。しかし、5フィート11インチとか気温華氏77度と言われても、どのような常態か想像もつかない。我々の頭の中には、メートル法しか入力されていないから、情報を解釈のしようがないのだ。その消費者が与えられた情報や刺激をどのように解釈

するかは、消費者の置かれた環境を分析すると手がかりがつかめる。

五感（Sensation）

　人間は外部の刺激を五感を通して取り入れる。スーパーに行けば、さまざまなパッケージが目に飛び込んでくるし、食品の匂いもする。客はスイカを叩いたり、桃を触ったりして、熟れ具合を確かめるだろう。試食をすれば、もっと確実に味を吟味できる。また、店内放送や店内表示・ＰＯＰ（point of purchase）で特価商品の情報を得るかもしれない。
　このように、消費者は常に五感を働かせて外部の刺激・情報を取り入れているのである。マーケターは、消費者が何の刺激・情報をどのように選択し、どのように取り入れ、どのように解釈しているのかを研究する必要がある。

図18◎五感を通して取り入れる刺激

1	視覚	75%
2	聴覚	13%
3	触覚	6%
4	嗅覚	3%
5	味覚	3%

洋服の色のトップ3は赤、青、黒

（1）視覚（Vision）

　消費者は、刺激・情報の75％を視覚で取り入れる。それほど外見は重要なのだ。消費者は、第一印象を商品デザイン、パッケージ、ディスプレイ、広告レイアウトなどの見かけで決める。知らない人と初めて会ったときに、言葉を発する前から、その人の服装、姿勢、ヘアスタイル、立ち居振る舞いなどで、その人の評価をしないだろうか。永六輔氏は、テレビの視聴者は容姿ばかりに気を配り、肝心の話を聞かないので、ラジオを好むという。人間は市場においても、同じような行動を取るのだ。中身より見かけで判断することはよくある。

　視覚に訴える商業的情報の中でも、色は消費者の知覚に大きな影響を与える。80％のビジュアル情報は色に関連しているという。つまり、色が情報を伝えるのである。我々は色が持つ意味を学習させられている。例えば、黒は男性的、力強い、ファッショナブル、都会的というイメージがある。赤は情熱的、白は清潔、ブルーは爽やか、グリーンは心静か、バーガンディーなら高級、黄色はフレンドシップなど、色の持つ意味を利用してブランド・商品・企業イメージを作り出すことができる。

　色を効果的に利用している例として、国際宅配便ＤＨＬの配達トラックを挙げたい。同社はドイツ・ポスト・ワールド・ネットとの合併に伴い、コーポレートカラーが鮮やかな黄色になった。それを受けトラックからドライバーのユニフォーム、専用の封筒まで全て黄色に衣替えをした。これまでのトラックは白地に赤文字で、フェデックスとよく似ていたし、街の風景にブレンドしてしまい、まるで存在感がなかった。それが突然全車黄色に塗られたのだから気づかずにはいられない。ビジネス誌などにも黄色を大胆に使った広告を載せ、「ローマ帝国、大英帝国、フェデックス帝国、永遠に続くものは何もない」「黄色。それは新しい茶色である」という挑

発的なコピーで訴える。もちろん、茶色とはＵＰＳのことである。

　建設用電動工具ブランドにデウォルト（DeWalt）というブランドがある。ブラック＆デッカー社（Black＆Decker）が生産するプロ用の工具だ。同ブランドを立ち上げる（正確には復活させる）に当たって、ブランドカラーには黄色を選んだ。最大のライバルであるマキタのグリーンに対抗できる鮮烈な色である必要があったのだ。黄色は工事現場などでよく使われるように、工具とのマッチングはよい。よく目立つ上に注意を促す色でもある。色がどれほど売上げに貢献したかは未知数だが、同ブランドはプロ用工具としてしっかり認知されている。

　アップル社はｉMacを発売するに当たって、リンゴのブランドマークをレインボーカラーから単色にして物議をかもしたが、今となっては、新しいブランドマークのほうが、先代のマークよりよほど洗練された印象を受ける。グレーとベージュのオフィス機器マーケットに、ｉMacというカラフルな商品を投入したのもアップルだった。当時はかなりのインパクトがあった。ＩＢＭのブルー、マクドナルドの黄色と赤、コカ・コーラの赤に白い波、ゴディバの金などはトレードドレス（trade dress）と呼ばれる。カラーはブランドの性格を表す重要な要素なのだ。

　色に関するマーケティング・リサーチもさまざま行われている。あるリサーチでは、低所得者はグリーンやブルーなどシンプルな色を好み、高所得者は青みがかったグレーグリーンなど複雑な色を好むという結果が出ている。また、5000人を対象に行った調査によると、洋服の色のトップ３は赤、青、黒の順であり、カーペット、家具、大型家電などの高価格商品ではベイジュが人気であった。さらに老人は茶系を、若者は黒を好んだという。

　製品のデザインは、機能で差別化が困難になった今日、ますますその重要性を増している。乗用車も、同じクラスなら性能や品質では差異を見つけにくい。少なくとも素人の目に大きな違いは認められない。そうなると選択要因として、デザインが大きなウェイトを占めてくるのだ。例えば、日産のティアナは、高級家具のようなインテリアデザインをセールスポイントにしている。トヨタ・ポルテやプジョー107はスライディングドアで

乗降性を高めている。アウディＴＴとか、ＰＴクルーザー、クライスラー300Ｍなどもデザインが話題を集めた。最近の車はエンジンルームにまでデザイナーの手が入っている。自動車のトップデザイナーは年間１億円以上も稼ぐスーパースターなのだ。パソコンや携帯電話でも、最近の工業デザインの進歩には目を見張るものがある。

　人は美しいものを好むし、見かけで品質を判断したりする。たとえ工業製品であっても、知覚に訴えるような努力をすべきなのだ。会社のロゴ、ショッピングバッグ、タグやラベル、パッケージなど企業や製品のアイデンティティを演出するためには、細部まで注意を払う必要がある。

（２）嗅覚（Smell）

　香りは大脳でプロセスされ、幸せ、空腹、よき思い出など人間の感情に直接訴える。例えば、コーヒーの香りを嗅ぐと、多くのアメリカ人は母親の作る朝食を思い出すという。フォルジャース（Folgers）というコーヒーブランドは、消費者の感情を刺激するため、「コーヒー＋母親の朝食」をＣＭで再現した。人間の嗅覚は強い刺激でもやがて慣れてしまうが、記憶に最も残りやすいという性質がある。

　グローブの革の匂いで少年時代を思い出す男性も多くいるに違いない。クリームを塗って、ボールを挟んだグローブを紐でぐるぐる巻きにし、ポケットを作るのは一種の儀式でさえある。ナイキがハイテック素材を使ったグローブを開発したが、性能だけでは消費者を魅了することはできなかった。車の内装に使われる革の匂いも、購買行動を刺激する極めて重要な要素となる。日産がインフィニティを開発した時には、５０数種類の革から香りのよいものを選んだそうだ。

　新車の匂いがしない新車では、消費者は肩透かしを食った気がするだろう。新車を購入する客はその匂いを心地よく感じるのだ。市場では「新車の香り」という芳香剤が売られているほどだ。ＧＭは、消費者が最も好む新車の匂いを研究しているし、フォルクスワーゲンは消費者が高品質と感じる匂いを識別しようとしている。また、ベンツは新車の匂いを長持ちさ

せる研究をした。

　アメリカで映画館のドアを開けて最初に気づくのがポップコーンの匂いだ。匂いは空腹感を助長する。日本なら鰻屋とか焼き鳥屋の香ばしい匂いがそれに当たる。また、香水の香りはセックスアピールをかもし出す。匂いは生理的欲求に直接訴えるのだ。アメリカでは香水の広告に毎年900万ドル費やされる。ファッション雑誌には毎号必ず、香水を染み込ませた広告がいくつか載せられている。折込になっていて、その部分を開けば香水のサンプルを嗅げる仕組みだ。

　最近ではアロマセラピーで、ストレスを解消するためにも香りが使われている。賛否両論はあろうが、環境フレグランスの研究も盛んに行われている。レモンの香りを流すとタイプミスが50％減少、ラベンダーなら80％減少するという調査結果がある。また、チョコレートの香りは記憶力を向上させるそうだ。

　店舗経営者なら、消費者の期待を裏切らない匂いに気を配らなければならない。靴屋は革の匂いがしなければならないし、書店の客は無意識にインクの匂いを期待する。果物屋、八百屋、パン屋、花屋、家具店、それぞれ"それらしい"匂いがあるものだ。

（3）聴覚（Sound）

　音楽は今や巨大産業であり、楽譜、レコード、ラジオ、カセットテープ、ＣＤと媒体が進化を遂げるごとにマーケットの裾野が広がってきた。アップルｉPodの人気は目を見張るものがある。日常生活に欠かせない音楽は、消費者行動にも大きな影響を与える。ＭＵＺＡＫ社のリサーチによれば、スローなＢＧＭを店内に流した時に、客の購買時間が17％延びたそうだ。逆にアップテンポミュージックを昼食後、仕事場で流せば生産効率が上がるという。

　雑音や騒音は購買意欲に逆効果という研究結果も出ている。ノイズは不安を助長し、神経を苛立たせるのだ。ノイズにならない程度の店内放送は、購買を促進することがある。同じような商品の並ぶ棚の前でどれを買って

よいか迷っているときに、「本日は××が30％引きでお買い得です」などと聞こえてくれば、たとえそれがエンドレステープの声でも選択のきっかけとなる。セールスマンの役目を果たすわけだ。アメリカのスーパーは静かなＢＧＭを流すが、日本ではこのような店内放送を聞くことが多い。

　音は商品の品質を示唆する。消費者はよくメロンやスイカなど表面を叩いてその音で熟れ具合を確認する。清涼飲料水なら蓋を開けたときのシュッという音が欠かせないし、焼肉やステーキが焼ける音は食欲をそそる。

　車の品質を確かめるのに、消費者はドアを閉めてその音に注意を払う。些細なことだが、品質の高そうな音というのがあるのだ。また、高級車の室内は静かでなければならないが、スポーツカーなら排気音が極めて重要な要素である。ハーレーダビッドソンは、エンジン音で特許を取ろうとしたほどだ。

　また、マイクロソフトのウィンドウズが開くときと閉じるときには独特なメロディが流れる。このメロディはコーポレート・アイデンティティを示す重要な要素となっているのである。サムソンも多額の費用を投じて、顧客がすぐにサムソンと認識できるようなサムソンらしい音を作り出そうとしている。[ⅰ]

　ノートブックパソコンの画面を閉じたときにカチッとノッチがはまる音が聞こえれば、しっかり閉まったなと安心感を覚える。家のドアでもそうだろう。高級感をかもし出す音、安心感を与える音、興奮させる音、購買意欲を刺激する音、リラックスさせる音、神経を逆なでする音、音にこだわることもマーケティングでは必要なのだ。

（４）触覚と味覚（Touch and Taste）

　ｅコマースでは今のところ触覚と味覚だけは伝えることができない（単純な香りならデジタル化して再生する技術がある）。洋服を買うときには生地を触って心地よさを確認するのが消費者だ。トマトの熟れ具合も手に取ればすぐにわかる。クマのぬいぐるみを買う時には、両手で握り締めて、感触を確かめる。タッチは商品によっては極めて重要なセンセーションで

ある。

　高性能車を運転すれば、路面を手でつかむかのようなフィードバックが手のひらに伝えられるし、ブレーキの感覚もサーボを介しているとは信じられないほどダイレクトだ。もっと細かな点を挙げれば、シートの肌触りはもとより、カップホルダーが飛び出す感覚とか、ウィンカーレバーを倒すときに感じるほどよい抵抗感など、ドライバーに触覚を通して訴える部分がかなりあるのだ。メーカーは数字で現れる性能に加えて、このように感覚に訴える部分にも細心の注意を払っている。

　別メーカーのＰＣを使う際、キーボードのタッチに違和感を覚える人は少なからずいるはずだ。タッチパッドやポインターに慣れなくて、マウスを接続するユーザーも多い。微妙な感覚は慣れるのに時間を要する。

　Ｐ＆Ｇのチャーミンというトイレットペーパーは「Don't squeeze the Charmin.（チャーミンを握らないで）」というタグ・ラインを広告に使っている。「そんなことをしなくても柔らかいですよ、握ったら潰れてしまうほどやわらかいですよ」という意味だ。同じようにダウニー（Downy）というソフトナーのＣＭでは、洗ったばかりのふかふかのタオルの上で、ダウニーの容器が跳ねる映像を使っている。また、ピルズベリーというパン生地ブランドは、ピルズベリー・ドー・ボーイ（Pillsbury Dough Boy）というマスコットを使って宣伝をする。テレビＣＭの最後には、必ずドー・ボーイのおなかを指で突くシーンが挿入される。その柔らかさをビジュアルに伝えているわけだ。

　味覚も触覚と同じように微妙で、いったん慣れ親しんだら新しい感覚に馴染むのに時間がかかる。母親の味噌汁とか玉子焼きの味は、いつ食べても懐かしいものだ。

　また、味は地域差も大きい。アメリカ北東部で人気のケープコッドというポテトチップがあるが、これを南部で展開しようとしたら全く受け入れられなかったという例がある。日本の食品メーカーも関東と関西では、静岡あたりを境にカップ麺などの味付けを変えているそうである。味覚まで教育することはできないから、その地方の味に合わせなければならないのだ。

2 閾値（いきち）・スレッシュホールド（Threshold）

三行広告の認知率はわずか26％

A．絶対閾値（Absolute Threshold）

　感覚器官が刺激を感知できる最低のレベルを絶対閾値（absolute threshold）という。コンセプトの応用は単純である。例えば、人の目に留まらないほど小さな新聞広告は、出しても無駄になるということだ。ビジネス・ウィーク誌の発行責任者、ウイリアム・クーパー氏は「25セント硬貨で隠れるような社名やロゴでは意味がない」と言う。大きさがスレッシュホールド以下であれば、読者の目に留まらないという意味だ。

　確かに、ビジネス・ウィーク誌の表紙は見開きになっていて、そこに掲載される広告はかなりのインパクトがある。あるリサーチでは、新聞の1／4ページ広告は93％の読者が気づいたが、クラシファイド（classified）と呼ばれる三行広告ではその数が26％まで減った。当然、白黒のイメージよりはカラーのほうがインパクトが強い。

　文字が多すぎるビルボード（屋外看板）も読み取ることができない。車を運転しながら読み取れるのは、英単語で6語までと言われている（写真1参照：肉眼では細かな字を読み取ることができない）。

　また、同じ紙面に掲載される広告が多ければ多いほど、テレビ番組の間に流されるコマーシャルが増えれば増えるほど、視聴者に感知される度合いが低くなる。込み合えば込み合うほど絶対閾値が上がるのだ。

　ニューヨークのタイムズスクエアには、ところ狭しと電飾できらびやかなビルボードが立ち並ぶ。しかし、その数が増えればビルボードを立てるスペースが不足し、需要と供給のバランスから価格は上がるが、認知度は

写真2◎ニューヨークの屋外広告の例

下がるという皮肉な結果となる。毎日のようにそこを通る筆者も想起できるビルボードは数が限られている。

B．アダプテーション（Adaptation）

　たとえ掲載した広告が絶対的スレッシュホールドを越えていたとしても、人間の目はやがてその刺激に慣れてしまう。慣れてしまうと、情報が壁紙の一部となり視聴者はそれを無視し、広告は何の効果も示さなくなってしまうのだ。同じ広告を何年間も同じ場所に貼り付けていたら、効果がどんどん薄れていくということだ。

　人間が環境に慣れる習性―アダプテーションを防ぐには、定期的に広告のプレゼンテーションを変える必要がある。広告に映し出されるブランドイメージを維持させつつ、新鮮なプレゼンテーションを試みるのだ。同じように商品ディスプレイも頻繁に変える必要があるし、パッケージ・デザインも時代や環境に合わせて変えなければならない。

アダプテーションを防ぐのに変わった媒体を使うという方法がある。例えば、最近日本でもバスのラッピング広告を見るようになったが、アメリカでは希望者に広告代を払って自家用車までラッピングしてしまうプログラムがある。スポーツ選手のユニフォームは定番媒体になりつつあるが、ボクシングやビーチバレーボールの選手は裸なので、体に刺青シールを貼り付けている。背中一面に企業のロゴを背負ったボクシング選手もいた。この選手がダウンしたときに、シューズの底にまでロゴが貼り付けてあったのには驚いた。また、ナイキがゴルフボールを発売したときには、タイガー・ウッズがティーアップしたボールを何度もクローズアップしていた。もちろんナイキ社が仕掛けたプロダクト・プレースメントだ。野球選手のユニフォームが広告塔になるのも、そう遠い日のことではないだろうと言われている。

　トヨタはサイオンブランドをニューヨーク地区で立ち上げるのに、人の額にロゴを貼り付けて街を歩かせるというショッキングなゲリラマーケテ

写真3◎ニューヨークの街を走るレッドブル（ドリンク）の宣伝カー

ィングを仕掛けた。また、ピックアップトラック・ツンドラの広告では、アムトラック（長距離列車）の機関車をラッピングして、巨大なトラックが客車を引っ張って走っているような絵を作り上げた。まさに走るビルボードである。この広告に、1両当たり月＄1万かかるそうである。露出度はどれほどあるのかわからないが、パワフルなイメージを伝えるには最適の媒体だろう。

　目をそらすことができない場所を媒体にすれば、注意を引くことは間違いない。汚い話で申し訳ないが、男性用便器の中に敷くビニールマットを媒体にして話題になった代理店がある。便器の上にポスターが貼られているのは気がついたが、便器の中まで広告媒体にしてしまうとは勇気がある。ブランド名に汚いものをかけられるのに抵抗があるのではないかと疑問が湧くが、「これもひとつのユーモアです」とは仕掛け人のコメントである。他に目をそらせない媒体として、スーパーのレジ、エレベーターの中、セルフサービスのガソリンスタンドのポンプなどに備え付けられた液晶テレビ画面がある。これらの画面で広告メッセージを送り続けるのだ。東京を走る電車のドアの上にも広告用テレビ画面が据え付けられている。また、地下鉄の銀座線（虎ノ門―溜池山王間）では、窓から動く広告を見ることができる。

C．違いを認識できるレベル（Differential Threshold）

　違いを認識できるレベルを英語でディファレンシャル・スレッシュホールド（differential threshold）という。価格の違い、性能の違い、品質の違い、デザインの違いなど商品に関するさまざまな違いを見つけることができる。消費者はどの程度の違いを"違い"として認識できるのかを知ることが重要である。この違いを認識できる最低水準をＪＮＤ（just noticeable difference）と呼ぶ。

　各商品、各要素のＪＮＤがわかれば、それを応用して効率よく戦略を実践できるのだ。まず、ネガティブな変化はＪＮＤ水準以下にとどめなければならない。例えば、価格上昇を余儀なくされる場合があるが、利益を確

保するためにいきなり大幅な値上げをせずに、ＪＮＤ以下のレベルで数回にわたって上昇させる方法が考えられる。1900円が2000円になれば高くなったなと感じるだろうが、数十円刻みで段階的に上昇させれば消費者はさほど気にかけないだろう。

　コーヒー豆やシリアルなどは、コストが上昇すれば、価格を上げる前に中身を減らしている。もちろん缶や箱の大きさを変えることはしない。ブリム・コーヒー（Brim Coffee）が中身を12オンスから11.5オンスに減らしても、キンバリー・クラーク社（Kimberly Clark）のおむつが88枚から80枚入りになっても、ほとんどの消費者はその変化に気づかなかった。シリアルの容量など何人の消費者が気にしているだろう。

　その逆もある。箱を視認できるまで大きくして、パッケージにはボリューム20％アップなどと謳い、価格を容量の増加分より上げるのだ。

　ポジティブな変化は消費者が気づくレベルで行う必要がある。値引きをするなら、客が安いと感じるレベルまで引き下げなければ反応しないだろう。ただし、必要以上に下げる必要はない。ＪＮＤが100円ならそれ以下の値引きでは客は反応しないが、それ以上の値引きは利益の損失となる。

　ＪＮＤは、性能を向上させる場合にも応用できる。ＪＮＤ以下の性能アップでは消費者は反応しないが、一気に持っている技術を使い切ることはないのだ。戦略的に必要以上の改善を控える場合もある。顧客が20ＭＢの増加で性能アップと認識するなら、50ＭＢの増加をする必要はないのである。

　企業はロゴやパッケージ・デザインを変えることがあるが、ＪＮＤ以下で行うことが多い。現代風にアレンジしても、ブランドイメージや本来の意味が変わらないように微調整するのだ。ケーキミックスのブランド、ベティ・クロッカー（Betty Crocker）はよき母親像をイメージしている。ブランドが立ち上がった1936年から7回ほどモデルが変わっているが、それぞれがその時代の現代的母親像を描いている（http://www.adagl.com/century/icono4.html）。日本では、グリコがシンボルのゴールインマークをオリジナルの大正11年からＪＮＤレベル以下で6回変えている（http://www.glico.co.jp/kinenkan/goal/goal.htm）。

福助もマスコットを微妙に変化させてきたが、今回はＪＮＤ以上の変化を遂げ、かなり斬新なイメージになった。

　ボーダフォンもＪＮＤを利用して社名をＪフォンから変更した。最初のパンフレットはＪフォンのロゴを大きく、ボーダフォンが小さく印刷されていた。第２段階ではそれらのサイズが逆転し、最後にはボーダフォンに統一されたのだ。アメリカではＩＢＭのプリンター部門だったレックスマークが独立した際、同じ戦略が取られた。

　逆に、ＪＮＤ以上の変化でイメージチェンジを狙う場合もある。福助はマスコットを微妙に変化させてきたが、現在のマスコットはＪＮＤ以上の変化を遂げ、かなり斬新なイメージになった。また、佐川急便は飛脚がモダンなイラストになって、企業のイメージを一新させようとしている。

　プロダクトラインの価格戦略にもＪＮＤを利用できる。同じブランドで中級、高級、最高級の品揃えをするようなときには、ＪＮＤ以上の価格差をつけ、品質の差をアピールするのだ。価格をもって明らかに品質が異なりますよと信号を出すのである。通常、価格上昇率は上級モデルに移行するほど大きくなる。これは、高額商品を購入する客ほど価格には鈍感だからだ。逆に大衆マーケットは価格に敏感になりやすい。これを価格の弾力性（price elasticity）と呼ぶ。

図19 ◦ 品質と価格の関係

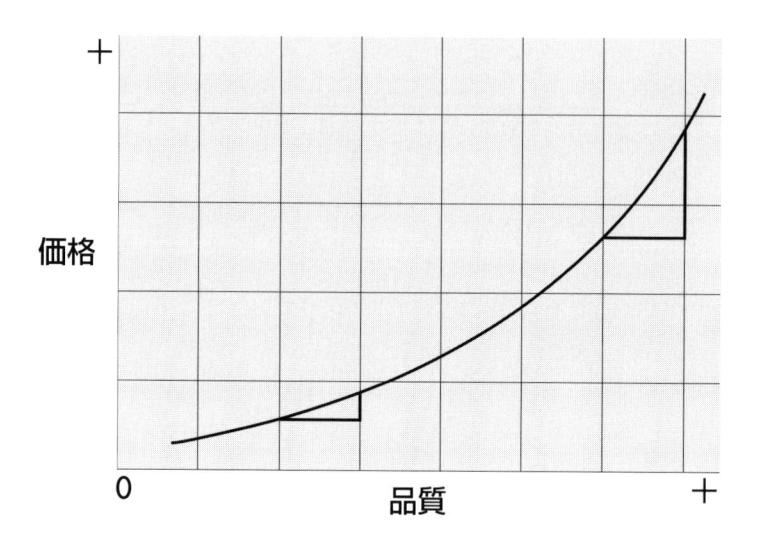

価格 / 品質

図20 ◦ 価格の弾力性（Price Elasticity）

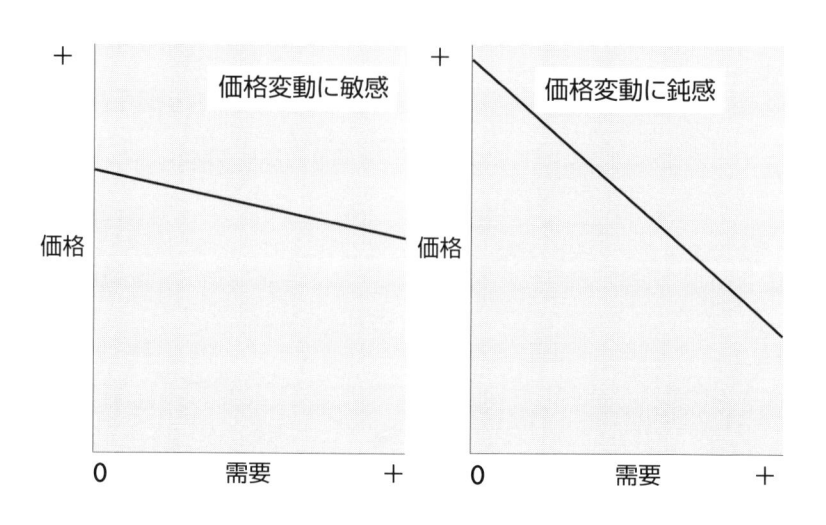

価格変動に敏感　　価格変動に鈍感

価格 / 需要

3 情報の選択と解釈

消費者は、1日に3500もの広告メッセージを浴びている

　インフォメーション・オーバーロードとよく言われるように、消費者は毎日、処理しきれないほどの商業的刺激にさらされている。メディア・キッチン社（Media Kitchen）のリサーチによれば、1日に平均的消費者がさらされる商業的メッセージの数は、30年前の560から3500に増えている。毎日の行動を考えてほしい。朝、目覚まし時計に手を伸ばして、時刻を見る。そこには、時計会社の名前かロゴが刻まれているはずだ。食卓の上にある牛乳の容器、ヨーグルトのパッケージ、ジャムのラベル、全てが企業によって流されるメッセージである。アメリカの場合、毎朝届く新聞の紙面は65％が広告だ。テレビを見れば、少なくとも1／4はコマーシャルである。平均的スーパーマーケットに行けば、2万点の商品があり、100人の他の客と接し、BGMや客の話し声にさらされ、セクションごとに違った匂いを嗅ぐ。大型店になれば商品点数は8万にもなる。消費者が棚に並ぶ商品を見る時間は1／10秒と言われている。

　もちろん、さらされた全ての刺激を脳に取り入れて処理するわけではない。人間には意識的、無意識的に取り入れる情報を選択する能力がある。例えば、パーティ会場にいるとしよう。大勢の人が限られた空間に集まれば、雑音は相当なレベルに達する。当然、ほとんどの雑音は、意識的に脳に取り入れられ、情報として処理されることはない。しかし、その雑音の中にあなたの名前が聞こえたらどうだろう。おそらく耳をそば立てるはずだ。自分に関連性のある刺激に対しては意識が高くなるのである。

A．選択性

（1）選択的知覚（Selective Perception）

　知覚は五感で取り入れる物理的刺激と、過去の経験によって作られたある刺激に反応しやすい素因の2つの条件が重なって起きる。つまり、消費者は、自分に関連のない情報は排除し、知りたい情報には敏感に反応するのだ。例えば、ＰＣの購入を計画している消費者なら小さなＰＣ関連の広告でも目敏く探し、それを注意して読むだろう。ＰＣを購入する予定がない消費者なら無意識に飛ばしてしまうはずだ。先に腕時計のたとえ話を書いたが、腕時計に関心があれば、他人がつけている時計にも自然と目がいってしまうものである。選択的知覚（selective perception）とは、このように自分の持っている知識、関心、信念、態度、期待などに一致する情報だけが知覚される状態のことである。

（2）選択的接触（Selective Exposure）

　選択的知覚が起こる前に、まずＰＣに関心のない人はＰＣ関連の雑誌を購読することはないだろう。また、スポーツが嫌いなら野球場に足を運ぶこともないはずだ。このように自己の信念、価値観、態度を支持する情報や状況を探求し、対立する情報や状況を回避する行動を選択的接触（selective exposure）と呼ぶ。

（3）知覚的防御（Perceptual Defense）

　消費者は自分にとって脅威となる情報を避けるような行動を取る。喫煙者がタバコの害について書かれた新聞記事をタイトルを見ただけで飛ばしたり、あるいは無意識にページをめくったりする。このように知覚を抑制することを知覚的防御（perceptual defense）と呼ぶ。
　これらのコンセプトが示すのは、企業が何を言いたいか、何を顧客に伝えたいかは重要ではないということだ。重要なのは顧客が何を聞くか、何を聞きたいかなのである。聞きたくない情報は防御するし、関連する情報には積極的に注意を払うのが消費者なのだ。

まず、企業が送る情報が必要ない人、あるいは関心のない人にメッセージを流しても、選択的知覚は起こらない。ネットワークテレビや全国紙など、リーチ力の高い媒体は、それだけ無駄も多いのである。ターゲット顧客が誰なのか、どこにいるのか、どうすればリーチできるのかをしっかりと調査して、媒体は慎重に選ばなければならない。

　そして、メッセージの内容も顧客本意でなければいけない。客は聞きたいことだけを聞くのである。企業がいくら商品の優れた特徴を強調しても、顧客に関連していなければ無視されるだけだ。筆者が関わったことのある企業でも"何を言うべきか"を理解していない経営者が多いのには驚かされた。

　このようなケースがある。ニューヨークのあるブティックでは、平均サイズがますます大きくなるトレンドの逆を張って、ペティートサイズの洋服を取り揃えていた。アメリカのメーカーは大きなサイズはどんどん作るが、小柄、痩せ型の女性はほとんど無視しているのだ。当ブティックはローカル紙に広告を出したが、読者のほとんどはペティートサイズには無縁である。これではあまりに無駄が多い。それならば東洋人ならペティートサイズの需要があるだろうと、日系、韓国系、中国系のミニコミ誌に広告を出した。おそらく東洋系の小柄な女性にリーチできたはずである。

　しかし、問題は彼女達の聞きたいことを伝えなかったことである。ただ「小さいサイズを揃えてます」では、ことさら珍しいことではない。「心のこもったサービス」をする店も他にあるだろう。客が聞きたいのは、例えばペティートサイズのブランド品がディスカウントで買えるとか、他でなかなか見つからないレア商品があるなど、強烈な合理的要素を含んだメッセージなのだ。ある程度優れたサービスを提供すれば、口コミで評判は広まるだろう。口コミで伝えられたメッセージには客に足を運ばせるだけの力がある。しかし、広告で釣るとなったら、相当インパクトのあるメッセージでなければ、消費者は反応しないし、新規客の開拓は不可能なのである。そうでなければメッセージが選択されても行動までは結びつかないのだ。

B．背景知識・スキーマ（Schema）

　消費者は与えられた新しい情報を理解し解釈するために、過去の経験や自分の考えを枠組みとして利用する。この枠組みを背景知識・スキーマと呼ぶ。例えば、ヨーロッパでは一般的に販売されているＵＨＴミルクは常温で10カ月も保存できるが、牛乳は冷やしておくものというスキーマを持つアメリカの消費者には相当抵抗がある。習慣が長期になればなるほど、それを変えるのが困難になるのだ。日本では一般的になった温水洗浄便座も、全く習慣のない他国で普及させるのは困難を極める。

　他にもスキーマに逆行した例はある。90年代にアメリカでクリアブームが起こった。液体洗剤、石鹸、デオドラントなど透明の商品が流行ったのだ。そこで、ペプシコーラは透明のクリスタル・ペプシを1992年に売り出した。しかし、多くの顧客にとって色のないコーラはコーラでなかったのだ。この商品はすぐに棚から姿を消した。ある食品会社は、トマトを焦がさずに作れるケチャップの製造方法を考案したが、これもケチャップらしい匂いがしないので失敗した。ハインツ社（Heinz）は子供用にグリーンのケチャップを売り出している。スキーマを持たない子供には受け入れられるかもしれないが、おそらくグリーンケチャップを好んで利用する大人は多くはいないだろう。一度、顧客の持つスキーマを研究してほしい。

C．終結（Closure Principle）

　人間には、不完全な画を完全な画として解釈する能力がある。例えば壊れたネオンサインを見て、その文字が何であるかを理解することができる。図21を見れば、3つの丸の上にある三角を見ることができるはずだ。これをマーケティングに利用することができる。あえて不完全な情報を与えることで、消費者の注意力が高まり、積極的に情報を処理しようとする。

　映画館で前の人が邪魔であれば、頭の位置をずらしてスクリーン全体を見ようとするし、声が聞こえにくければ耳を立てて聞こうとする。連続ドラマを欠かさず見るのも、不完全を完全に近づけるためである。トレーラ

ーと呼ばれる映画の予告にもこの理論が当てはまる。予告編はだいたい、次にどうなるか、というところで終わる。情報が不完全なので、完全に近づけようと、より強い意識が働き、より深く関与するのである。

　不完全情報を広告に利用することもある。レクサスＩＳ（トヨタ・アルテッツァ）は、デビュー前にその車の一部（テールランプ、メーター、ホイール）だけを見せて、視聴者の関心を煽るようなティーザー広告を流した。また、車のテレビコマーシャルでは、よく窓に黒のフィルムを貼って中が見えないようにしている。これは、コマーシャルを見ている人をドライバーに投影させるためだ。

　不完全なメッセージは、完全なものより記憶されやすいというデータがある。テレビでよく見るコマーシャルの音だけを拾って、ラジオの宣伝に使うと効果が高いという。これは、音を聞きながら、テレビで見慣れたイメージを頭に描いて完全なメッセージにしようとするからだ。右脳と左脳の両方が働くわけだ。

　ウィスキーのＪ＆Ｂがクリスマスシーズン用に作った有名な広告がある。ingle ells, ingle ellsと緑の背景に白文字で大きく書かれ、最後にＪ＆Ｂを忘れずにと続く。冒頭の単語にＪとＢを入れればJingle Bells（ジングルベルズ）となるわけだ。終結（closure）をうまく使っている例だ。これならば認知も記憶も高まるに違いない。

図21◎3つの丸の上にある三角

Closure

i　David Rocks and Moon Ihlwan. Samsung Design, Business Week (December 6, 2004) pp.88-96.

第10章

消費者の態度
（Consumer Attitude）

消費者はあなたの会社のブランドに
どのような態度を持っているか知っていますか？
その態度の形成には何が影響を与えたのでしょう？

1 消費者の態度とは

一度作られた態度は、なかなか変わらない

　消費者の態度とは、対象となる商品・ブランド・店舗・会社・人などに対する評価そして感情である。その評価は正（＋）と負（－）の線上に位置づけられる。態度を感情で表せば、好きか嫌いか、好きならばどれくらい好きかを示すのが態度である。

　評価であれば、正しい－誤っている、高品質－低品質、高価格－低価格、有害－無害などのスペクトラムが考えられる。行動であれば接近－回避、積極的－消極的などの線上で態度を表す。

　態度は時間をかけてゆっくり作られるが、一度作られた態度は、安定してなかなか変わらない。ただし、不変というわけではない。例えば、韓国製品はその品質の低さでなかなか市場に浸透しなかったが、近年、現代自動車は品質でトップにランクされ、サムソンはソニーをも凌ぐ勢いでブランドの価値を高めている。アメリカでは、両社とも若者を中心とした消費者の大きな支持を得ている。

　態度は商品が使われる状況や消費者がおかれた環境の影響を受ける。例えば、ファーストフードレストランでランチを取る客も、ディナーまでハンバーガーで済ませることに抵抗を感じるだろう。ファミリーレストランならランチでもディナーでも受け入れられる。また、あんなに高いホテルに泊まるのはもったいない、と考えていた消費者が、収入の増加とともにそのような抵抗を感じなくなるかもしれない。ただし、態度と行動が一致するとは限らない。ファーストフードに抵抗のある客でも、時間がなければ近くのハンバーガー店に飛び込むかもしれない。

　態度は学習によって作られる。使用経験によって作られる場合もあるし、

オピニオンリーダーや準拠集団（後述）の影響も大きい。さらに新聞・雑誌の記事やテレビコマーシャルなど、マスコミで流される情報も消費者の態度を作る要因となる。

　態度は、その強さにより大きく3つのタイプに分けることができる。最初に、功利的機能が働いて形成される（1）応諾（compliance）がある。便利、早い、安いなどの機能的ベネフィット（utilitarian functions）が態度形成の基礎となる。賞罰の結果で商品選択をする応諾は、最も低いレベルの態度であり、他にもっとよい製品があると分かれば顧客は簡単に離れて行ってしまう。品質や価格に秀でた商品でも、感情的な結びつきをなし得なければ顧客を忠実にできない。

　次に、（2）同一化（identification）による態度形成がある。これは、他人と適合するためにブランド選択をするような場合に起こる。人には仲間と同じようなことをしたい、同じブランドが欲しいという同一化（social conformity）の欲求がある。4－5人の若者のグループを見ると、皆同じような格好をしているのに気づいたことはないだろうか。これはリーダー格のメンバーとの同一化を求めていのだ。口コミに影響があるのは、同一化も大きく作用している。

　最後が（3）内在化（internalization）である。この態度形成では、ブランドは顧客の価値観に組み込まれ、その顧客は代用品を考ることはよほどの理由がない限りありえない。この態度を変えることは困難を極める。

　消費者関与の深い商品ほど内在化が進みやすいのだ。映画『卒業白書（原題：Risky Business）』の中で、トム・クルーズが「Porsche, there is no substitute. 何ものもポルシェの代わりにはなりえない。」と言うセリフがあるが、これがまさしく内在化の態度である。

　誰にでもこだわりの商品がある。靴はｘｘブランドが履きやすい、豆腐は京都のｘｘ店の豆腐でなければ食べない、米はｘｘ産のコシヒカリがいい、など内在化されたブランドがあるはずだ。関与が深まれば深まるほど内在化も深まる。達筆な人なら筆や墨にこだわるだろうし、ゴルフがうまい人ならボールの表面素材やシャフトの硬さにまでこだわる。

2 態度の機能（Functions of Attitudes）

態度には4つの機能がある

　人が好きになったり嫌いになったり、接近したり回避したり、という態度を持つのは、態度には機能（働き）があるからだと考えられている。ある商品に対して正の態度を持つ顧客が複数存在すれば、それぞれが異なった理由で正の態度を持っている可能性がある。心理学者のダニエル・カッツ（Daniel Katz）は4つの機能を提唱している。

A．適応機能（Utilitarian Function）

　この機能は賞罰原則に基づいている。あるブランドを好きになったり嫌いになったりするのは、満足、快楽を得て、痛みを避けるためであるという。商品が客の役に立ち、満足をもたらせば、正の態度を持ち、次も同じブランドを選ぶ。逆に、粗悪品ならば二度と買いたくないと思うこともある。一度失敗したブランドを避けることで、二度と嫌な思いをしなくて済むからだ。

　消費者が賞罰に基づいて態度を形成するのであれば、商品がもたらす顧客の利益を強調する必要がある。広告では機能的優位性を謳うことが大切だ。前述したように、購買者の期待値を高めるのである。

　もう一つ付け加えると、消費者は直接的な利益を求め損失を避けようとする。例えば、住民税が上がることには誰しも反対するだろう。例えそれによって公共サービスが向上するとわかっても、税には拒否反応を示す。商品でも直接的な利益を見い出せなければ、ポジティブな態度は形成されにくいのだ。

B．価値表出機能（Value-Expressive Function）

あるブランドを好きになったり嫌いになったりするのは、そのブランドが自分自身の価値観を表出するか、あるいはそれに反するかによるという。現実のセルフイメージ、理想のセルフイメージ、いずれの場合でも、商品がそのイメージにそぐわなければ購買は起きないということである。顧客の信念、価値観、ライフスタイルを研究して、消費者に訴える必要がある。

化粧品のボディショップは、リサイクル可能なパッケージを使ったり動物実験に反対したりする社会性の強いブランドだ。このような社の方針に共感して同ブランドを選択する顧客は少なからずいるはずだ。

C．自我防衛機能（Ego-Defensive Function）

これは、あるブランドを好きになったり嫌いになったりするのは、不安・社会的リスクから自分自身を守るためであるというコンセプトだ。例えば、有名デザイナーのブランドを好むのは、社会的に認知されているという安心感が態度形成に寄与するからだ。これと同じコンセプトを使ったケースを紹介しよう。

インスタント食品には、手抜きをする母親のイメージが重なるので、企業はそれを払拭する必要がある。キャンベルスープは"手抜きお母さん"を逆手にとったテレビ広告を流した。子供が学校から帰ってくると、母親に「今日は学校で賞を取ったんだ」と報告する。すると母親は「それはすばらしいわ。それでは特別にご褒美をあげましょう」と、キャンベルスープをなべに移し温めて子供に食べさせるのだ。これまでのインスタント食品広告なら、いかに簡単に作れるかを強調したはずだ。このスープのコマーシャルでは、"キャンベルは手抜きではありません。よい母親が、特別な日に出す、特別なスープです"というイメージを作ろうと意図されている。自我防衛機能を刺激するわけだ。

"この商品は人がうらやましがるほどすばらしい"とか"周りの人に認められます"という類のメッセージも、顧客を社会的リスクから守る自我

防衛機能を刺激する効果がある。デオドラント（制汗剤）や練り歯磨きの宣伝では、"あなたの匂い気になりませんか？"と恐怖喚起（fear appeal）のメッセージを使って、自我防衛機能を逆方向に刺激するのだ。

D．知識機能（Knowledge Function）

人は自己を取り巻く環境がシンプルで一貫性があり、予測可能であることを望む。態度にはこの欲求をみたす機能があるのだ。あるブランドを好きになったり嫌いになったりするのは、態度が商品知識として機能するからだという考えである。つまり、特定ブランドを好きか嫌いか態度をはっきりさせておけば、その商品に関する情報検索が必要でなくなるのだ。

しかし、態度がはっきりしない場合には情報検索を余儀なくされる。そして、得られた知識によって態度が形成され、購買意思決定がなされる。例えば、食の安全が叫ばれる今日、食材のトレーサビリティを明確にすれば、その表示が消費者の情報検索を補助し、正の態度形成を促進し、知識機能を高めることができる。

一方、メーカー希望価格が表示されていた商品が、オープン価格になって不満を感じる消費者がいる。これは小売価格を比較するために情報検索を求められ、ブランドが持つ知識機能が低下したことへの反動である。

顧客は異なった理由でブランドを選択しているかもしれないし、いくつかの機能が複合的に作用する場合もある。企業はどの機能を強調すべきか、研究する必要がある。例えば、あるシャンプーを好んで使うのは、髪がサラサラになるからかもしれない（功利的機能）。あるいは、有名女優が使っているからかもしれないし（自我防衛機能）、他のシャンプーとどこがどう違うのか明確に記載されているからかもしれない（知識機能）。どの機能を刺激すべきかを道筋に、戦略を練るのである。

3 ABCモデル

消費者の態度と4つのヒエラルキー

　態度には、思考・認知（Cognitive component）、感情（Affective component）、行動（Behavior component）の３つの要素がある。これらの頭文字をとってABCモデルと呼ばれるが、それら[i] ひとつひとつの要素を研究することで、自社ブランドをより魅力的にすることができるのだ。以下にそれぞれの例を挙げよう。

1. 思考を導き出す（**Cognitive component**）
   - 私はベンツは高品質な高級車だと思う。
2. 感情移入する（**Affective component**）
   - 私は高級感のあるベンツのような車が好きだ。
3. 行動を促す（**Behavior component**）
   - 私はベンツを買って運転したい。

　それでは、ＡＢＣがどの順番で発生するのか考えてみよう。この順番は消費者関与と結びついている。商品がどのヒエラルキーに属するかを調査して、そのモデルに相応しい戦略を練る必要がある。

A．高関与ヒエラルキー（Ｃ＞Ａ＞Ｂ）

　深く関与している場合、消費者は情報収集・分析から入って態度を形成する。商品・ブランドに対して客観的な評価を下し（Ｃ）、その結果優れた商品を好きになり（Ａ）、購買行動を起こす（Ｂ）という順番になる。

したがって、車、家、パソコンなど高関与の商品は、消費者に冷静な分析をさせるべく、詳細な情報を提供することが欠かせない。その上で感情を刺激するようなデザインやパッケージングを施したり、広告を作ったりするのである。

B. 機能本位ヒエラルキー（C＞B）

　高関与ヒエラルキーから感情（A）を外した機能本位ヒエラルキーを提唱したい。消費者は、事務機器をはじめ仕事上で必要な商品や医療など、どうしても必要な商品を購入する際に感情移入せずに購買行動を起こすことがある。つまり、C（思考）からB（行動）に直接結びつくのだ。使用とともに、欲しくはないが必要な商品に多く発生する。この場合も、詳細な情報提供が欠かせない。さらに、長期的には顧客と感情的結びつきを図る努力もしなければならないのだ。アップルは事務機器ではあるが、顧客は感情的に入れ込んでいる。アップルのライバル社の製品に対しては、「皆が使っているから使う」レベルの感情しか持たない顧客が多くいるのではないだろうか。消費者に可愛がられるブランドになるにはどうすればよいか考えてほしい。

C. 低関与ヒエラルキー（B＞C＞A）

　ドッグフードやシャンプー、洗剤など、関与の低い商品ではどうだろう。事前に情報収集をすることはまれである。経験がブランド選択の基礎となる（道具的条件づけ）。まず、商品を購入する（B）。そして、買った商品を使用する過程でよい商品か、そうでないかを評価し（C）、好きになったり嫌いになったりする（A）。

　ここでは、店の棚にディスプレイされている商品を、手に取らせることが最優先される。企業は行動を起こさせるのに、セールス・プロモーション（無料サンプル、クーポン、コンテスト、スイープステーク・富くじ）やPOPを利用する。品質の評価や感情移入は使用とともに行われる。

D. 感情的ヒエラルキー（A＞B＞C）

　市場には、消費者の知覚に訴えるような商品が数多くある。消費者は「かっこいい」とか「かわいい」などという言葉で第一印象を表現したりする。ファッションアイテム、スナック菓子やソフトドリンクがその例となる。見た目が格好よいとか、おいしそうとか、心地よさそう（A）ということで、商品を購入する（B）。購入後、その商品を評価するのである（C）。

　これらの商品は、プレゼンテーションに最大の注意を払わなければならない。パッケージ・デザイン、広告、ブランドなどが購買を左右する。

図22◎ABCモデルの各ヒエラルキー

	思考 －	思考 ＋
感情 ＋	感情的ヒエラルキー	高関与ヒエラルキー
感情 －	低関与ヒエラルキー	機能本位ヒエラルキー

4 認知的不協和（Cognitive Dissonance）

広告によって購買後の認知的不協和を解消する

　上記の認知・感情・行動の3要素は、整合してこそ心理的安定をもたらす。そして、ある要素の強度が高まれば他の強度も比例して高くなるのだ。高性能であればあるほど、好きになる度合いが深まり、入手したいという欲望も大きくなる。

　3要素の間に不協和があれば、個人はそれらを整合させようとする。例えば、タバコは健康に悪いと考える喫煙者であれば、禁煙することで、思考（C）と行動（B）を一致させることができる。そして、禁煙に成功した元喫煙者は一様にタバコ嫌いになる（A）。行動を変えないのであれば、「私の叔父は、喫煙者だったが90歳まで生きた」と言い訳を探したり、喫煙と健康の関連性に疑問を投げかけたりして、考え（C）を変えようとするだろう。こちらでも、タバコ好き（A）、タバコを吸っても長生きできる（C）、タバコを吸う（B）と整合が取れる。

　消費者は商品を購入後に、「本当にこのブランドでよかったのだろうか？」と疑問を持つことがある。購買後に認知的不協和が起きるのだ（post-purchase dissonance）。特に高額、高リスク商品を買った後にこのような不安を持ちやすい。この場合は、購買した後なので行動（B）を変えることはできない。そのため、思考（C）を強化するしかない。そこで選択した商品のポジティブな情報を集めたり、選択しなかった商品の欠点を探したりするわけだ。購入した商品が高額であればあるほど、必死に正当化しようとする。

　したがって、企業は自社製品を購入した顧客に対して「あなたは正しい選択をしました」という整合性を図るメッセージを流す必要がある。不安

を払拭しなければ、次に同じブランドを選択する意欲が衰えるのだ。典型的なメッセージに、「多くの消費者に選ばれています」とか「ナンバー1のブランドです」などがある。つまり、他の消費者も選択していることで購買を正当化させたり、他社より優れていることをアピールして安心させようとするのである。

5 フット・イン・ザ・ドア・テクニック（Foot-in-the-Door Technique）

小さなリクエストから始めて販売につなげるテクニック

　消費者は自分の起こした行動を基準にして態度を作ることがある。好き嫌いの態度が出来る前に購買行動を起こす。低関与ヒエラルキーの場合、この傾向がよく見られる。マーケターはこのような状況において、フット・イン・ザ・ドア・テクニック（foot-in-the-door technique）を使って販売促進することができる。これは、セールスマンが入室を断られ、客にドアを閉められそうになったときに、足をドアと枠の間にすばやく滑り込ませて、セールストークを続ける様に由来する。

　客は、"ドアを開けたということは自分は聞く耳を持つのだな" と無意識に判断する。そして、次々と相手のペースにはまっていく。最初の小さなリクエストに応えることで、次の大きなリクエストに応えやすくなる心理状態に追い込まれていく。例えば、天気の話をし、次に客の名前を聞く。それに答えたら趣味を聞く。そして、次々と簡単な質問を繰り返すうちに販売トークに結びつけるのだ。

　企業はウェブサイト上で、フット・イン・ザ・ドア・テクニックを応用することがある。パーミッション・マーケティングと呼ばれる手法がそうだ。サイトを訪れた利用者は、サイト上の情報よりさらに詳しい情報を得ようと電子メール・アドレスを企業に渡す。企業はそこから営業活動を始める。アドレスと引き換えにスイープステーク（富くじ）やコンテストに参加させたり、無料で新聞記事を読ませたりするのは、全てこのフット・イン・ザ・ドア・テクニックなのである。つまり、関与を深めるきっかけを作るのだ。

6 係留効果 （Anchoring Effect）

第一印象が個人の態度に大きな影響を与える

　一度、判断の基準となる刺激が与えられると、その刺激が係留となり、他の刺激に対する判断に偏りが生じることがある。例えば、一抱えほどもある箱の一方を持ったら大変重かったとしよう。すると次に同じような箱を見たときには、持たずとも、その箱は重いと決めつけてしまうような現象である。最初の印象が係留基準となり、その枠組みをはめてしまうため、他の似たような刺激に対しても同じように結論づけてしまうのだ。

　つまり、第一印象が個人の態度に大きな影響を与えるのである。そして、その対象物への関与が深まるほど、枠組みは狭くなる傾向がある。例えば、男子プロゴルフの大ファンは、女子が男子ツアーでプレイするような行為に拒否反応を示す。

　また、ヨーロッパ車の愛好家の中には、外国車でもアメリカの車には全く興味を示さず、見ようともしない人がいる。関与の低い消費者はこのようなこだわりを持たないのである。

　トヨタはハイブリッドカーの先駆者としてのアンカーを築いた。これは偉大な財産である。これでトヨタ車は環境に優しい車というポジショニングが形成されたわけだ。他社は、トヨタのハイブリッドより燃費がよい、というようなメッセージでトヨタをアンカーに取るような戦略が可能ではある。

　革新的な商品の場合は、一番乗りをして他社に先駆けてアンカーを築くことが大切なのだ。トヨタのハイブリッドの他にも、液晶のシャープとか、インクジェットのヒューレット・パッカードなども技術力がアンカーとなっている。メルセデスベンツやジャガーは高級大型車を係留基準にして中型車、小型車を発売した。小型でも高級というDNAは受け継がれている。

7 均衡理論（Balance Theory）

バランスが取れていなければ、態度が不安定になる

　フリッツ・ハイダー（Fritz Heider）の理論によれば、人は（1）本人、（2）態度を決める対象、（3）本人と関連する人・物の3要素の均衡を保とうとするという。そして、これらの要素はポジティブかネガティブの関係にある。

　例えば、当事者に（1）花子、態度を決める対象が（2）ヘッドフォンステレオ、そして当事者と関連する人を（3）太郎としよう。花子は太郎が好きだが、ヘッドフォンステレオを聴く姿は醜いと思う。電車の中でヘッドフォンステレオを聴くような人に好印象を持っていないのだ。もし、太郎がヘッドフォンステレオをよく聴くとしたら、三角のバランスは保てない。ここで花子は何らかのアクションを取らなければならない。

　第1に、花子が太郎を嫌いになることでバランスが保てる。第2に、太郎とヘッドフォンステレオの関係を否定することでもバランスを維持できる。「太郎はオペラを聴いているのであって、他の若者のようにロックやラップを聴いているわけではないから許せる」と正当化するのだ。第3に、太郎のこともヘッドフォンステレオのことも考えないようにする、その状態から逃避するという方法もある。

　そして、最後は花子がヘッドフォンステレオを肯定することでバランスを保てるようになる。ここで企業のマーケティング活動が必要になるのだ。花子がヘッドフォンステレオやそれを聞く人を嫌うのは、電車やバスの中で人の迷惑も考えずに大音量で音楽を聴く人に遭遇したことが理由であったからだとしよう。この場合、電車でヘッドフォンステレオを聴く人が、3つ目の要素である本人と関連する人であるわけだ。

それならば、企業は花子が好感を持つ有名人を3つ目の要素に入れ替えてはどうだろう。その有名人がヘッドフォンステレオを愛用していることを知ればヘッドフォンステレオに対する態度が変わるかもしれない。

　あるいは、ヘッドフォンステレオ利用者には英会話の勉強をしていたり、オーディオ・ブックで洋書を原文で聞いている人がいることを知らせたらどうだろう。ヘッドフォンステレオを聴く人に対する偏見が取れるだろう。バランスが保たれた状態では、花子の太郎に対する態度は安定する。もしバランスが取れていなければ、態度が不安定になり好きになったり嫌いになったりするのだ。

　もし、個人がある商品に対して何の態度も持たないニュートラルな状態であったとしても、ポジティブな第三者を加えることで態度をポジティブにすることが可能である。カリスマ的有名人が宣伝したり、所有することでブームになるブランドがよく登場する。

　逆にその第三者が好感の持てない人物であれば、ブランド自体にネガティブなイメージがなくても、嫌われることがあるのだ。某服飾ブランドは、何故か暴走族のお気に入りとなってしまい、顧客の購買意欲に影響を与えたという例がある。

　先に、スバルとＬＬビーンの共同ブランディングやレクサス・コーチ・エディションの例を紹介した。このように人物でなくても、ブランドや物が影響要因の役割を果たす場合もあるのだ。企業は客の態度に影響を与える第三者の存在には十分注意し、うまく利用しなければならない。

---

i　Michael Solomon, Consumer Behavior : Buying, Having, and Being (Upper Saddle River : Prentice Hall, 2002)

図 23 ◉ 均衡理論

アンバランスな状態

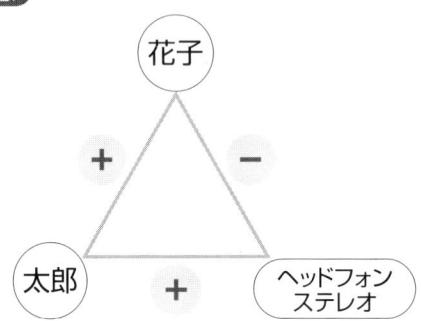

- 花子 — 太郎：＋
- 花子 — ヘッドフォンステレオ：－
- 太郎 — ヘッドフォンステレオ：＋

バランスの取れた状態

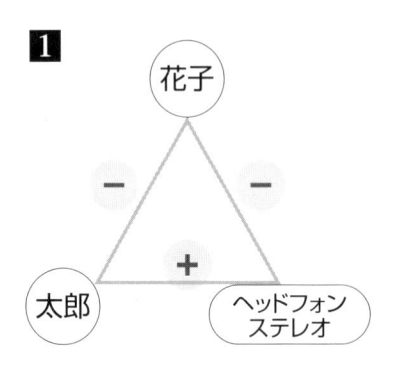

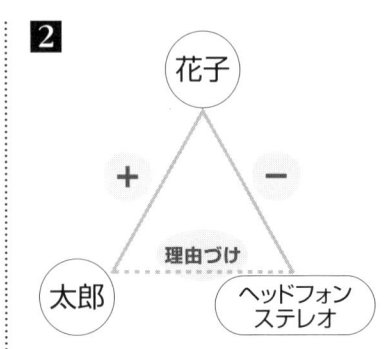

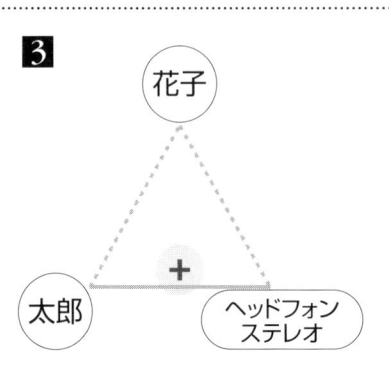

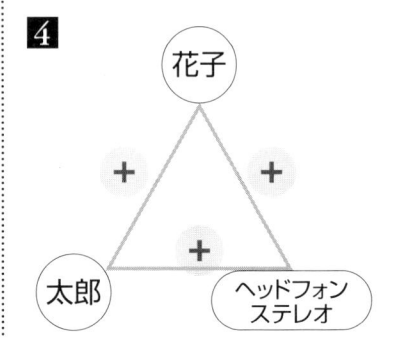

1
- 花子 — 太郎：－
- 花子 — ヘッドフォンステレオ：－
- 太郎 — ヘッドフォンステレオ：＋

2
- 花子 — 太郎：＋
- 花子 — ヘッドフォンステレオ：－
- 太郎 — ヘッドフォンステレオ：理由づけ

3
- 花子 — 太郎：（点線）
- 花子 — ヘッドフォンステレオ：（点線）
- 太郎 — ヘッドフォンステレオ：＋

4
- 花子 — 太郎：＋
- 花子 — ヘッドフォンステレオ：＋
- 太郎 — ヘッドフォンステレオ：＋

Column 7

ボーズ・サウンドドック

　私事で恐縮だが、最近ボーズのサウンドドック（BOSE SoundDock）を購入した。これは、アップルiPod専用のスピーカーシステムで、iPodをドックに乗せるだけで本体に接続され、iPodがステレオに変身するのだ。30cm×17cmほどの小さなシステムだが、なかなかパワーがある。

　さて、この購買体験を消費者行動論で分析してみよう。まず、購入のきっかけとなったのは、地下鉄の車内広告である。商品の写真が、グリーンのバックグラウンドにプリントされただけのシンプルなポスターだった。

　写真の上には、「Hey, iPod. Come Home and Play.（ヘイiPod、家に帰って一緒に遊ぼうよ）」というコピーが白地で書かれていた。

　有名人が奇妙なポーズを取ったり、きれいな女性のモデルが微笑んでいたりというありふれた構図でなかったので、余計目立ったのかもしれない。そのポスターを見た瞬間に「これはいい」と閃き、衝動買いをしてしまった。

　もちろん、そのポスターを見るまではiPodが部屋で聴けたらいいなとはっきり考えたことはなかった。また、iTunesにダウンロードした音楽をPCに付属でついてくる安物のスピーカーで聴こうとも思わなかった。CDで十分満足していたのだが、そのポスターを見たとたん、iPodで再生する音楽をスピーカーで聴ければなんて便利だろうと潜在的な欲求が喚起されたのだ。

　右脳的発想で欲求が刺激されたのだが、地下鉄を降りるまで左脳的情報処理もしている。というよりは、購入を正当化しようとしたわけだ。CDはいちいち探し出して、プレーヤーに装填して、聴き終わったらケースにしまって、という一連の動作が面倒である。しかも、ステレオでは、PCからiTunesにダウンロードしたデジタル音楽を再生することはできない。ドックだからおそらくiPodに充電もするだろうと想像できた。

　広告を目にするまではニュートラルだった「現実の状態」が、サウン

ドドックという「よりよい状態」を知ることで不満に変わり、テンションが発生した。

　筆者の場合、地下鉄で左脳的情報処理をする内にテンションが高まったのだ。しかし、このテンションだけでは購買行動を起こすには不十分である。テンションに2つの要素が付加されて、それが動機づけとなり購買行動に結びついた。まず、その写真にあった商品のデザインである。いかにもボーズらしいデザインを一目見て気に入ってしまった（知覚）。もうひとつは、ロゴにあったBOSEの文字である。BOSEなら音質や品質に問題はないだろうと、試聴もせずにその場で結論づけてしまったわけだ（般化）。

　今現在この商品を実際に利用しているわけだが、ラジカセのような手軽さ、サイズに見合わない音質に満足している。ボーズに対する態度も極めてポジティブである。この態度形成は、「広告を見て気に入る──感情：Affective component」「購買する──行動：Behavior component」「性能を確認する──思考：Cognitive component」の3つの要素で成り立っており、筆者は感情的ヒエラルキーによる購買を起こしたのだ。

　最後にひとつ付け加えておきたいことがある。ショールームで試聴し、どれくらいの重さなのか手に取ろうとしたら、本体がテーブルにマウントされており持ち上げることができなかった。そこで、近くにいた店員に「これはどれくらいの重さなの」と聞いたら、わざわざ奥からサウンドドックの入った箱を持ってきてくれたのだ。普通の店員なら、「あまり重くありません」とか「何キロくらいです」などと答えるにとどまったはずだ。せっかく、持ってきてくれたので、「それではそれをください」とその場で購買に及んだわけだ（返報）。

第11章

社会的要因
——グループの影響

あなたは顧客の購買活動に影響を与えるグループの存在を認識していますか？
このグループを有効利用していますか？

1 グループの意味

口コミで伝わる情報のほうが影響力は強い

　人はさまざまなグループに属する。家族、職場の同僚、友人、チームメート、クラスメート、ゴルフ仲間、インターネットのチャット仲間などがその例だ。グループに属する理由は個人によって異なる。同じゴルフ仲間でも、健康のために入る人がいれば、仲間と楽しいときを過ごすために入る人も、あるいは名誉のためにクラブの会員になるような人もいるだろう。個人はこれらのグループメンバーから有形、無形の影響を受けるのである。
　消費者の態度形成や購買行動に与えるグループの影響力は計り知れない。多くの企業にとって、グループの力を効果的に利用することがマーケティングの大きな課題となっている。というのも広告宣伝など第三者から流されるメッセージより、身近な人から口コミで伝わる情報の方が、信憑性も高ければ影響力も強いのは明白であるからだ。口コミには行動を起こさせる力があるのだ。
　消費者が広告の情報より口コミを信頼するのは、それを伝える人は、情報伝達しても何も得るものがない中立な立場にあると信じているからだ。よいことを言って得るものがなければ、悪いことを言って失うものもない。しかも、生の情報なのでインパクトが鮮明なのである。媒体を通して伝わる情報はどうしてもフィルターがかかってしまうし、他の広告や記事が邪魔をする。また、受ける側の注意力もそれほど高くはないのだ。
　最近では、口コミもインターネットを使って行われるので、その情報伝達力はマス・メディアにも匹敵する。口コミをうまく利用することが多くの企業にとってマーケティング活動の最重要課題となっているのだ。

2 消費者の社会化(Socialization)

社会化の3つのプロセス──模倣、強化、社会的交流

　グループが果たす重要な役割のひとつに、メンバーの社会化がある。社会化とは、個人がグループメンバーとの交流あるいは観察を通して、どのように立ち振る舞えばよいかという行動規範を学ぶことである。最も代表的な例が、子供が親兄弟から価値観や行動の是非などを学ぶ社会化である。盗んではいけない、嘘をついてはいけないなど基本的なルールから、何をどこでどのように購入するかという購買・消費活動に関した知識まで、膨大な量の生きる術を学ぶ。学校、職場、クラブなど社会化の起こる場面は数限りなく存在する。これらのグループが機能するためにメンバーは規範を作り、暗黙のルールを定め、それに従うのだ。この暗黙のルールが消費行動に多大な影響を与える。例えば、数十年前ならタバコを吸うことは"クール"な行為であったが、今では公共の場所では吸うことさえ法律で禁じられている。あるいは、オペラにはドレスアップして行く、デートのときには男性が会計をする、毎日風呂に入り歯を磨くなど、普段当たり前にしていることも多数含まれるのだ。

　また、何人か連れ立って街を歩く若者が、全員同じような格好をしていることに気づいたことはあるだろうか。これもメンバーが互いに影響を与える社会化のひとつである。

　社会化には3つのプロセスがあると言われている。第1が模倣(modeling)である。先の例で言えば、子供や親の言動をしっかり見て真似をする。また、友人グループの中にはファッションに関心のあるメンバーがいて、他のメンバーが影響を受けることはよくある。ファッションに限らず、スポーツや趣味でも人の影響を受ける。友人の影響でテニスを始

めたり、将棋を指すようになったりする人がいる。また、自分がどう振る舞ってよいかわからない場合には、他人の行動が適切であると信じて真似ることがある。テーブルマナーがその例だ。

第2のプロセスが強化（reinforcement）だ。個人は他のメンバーから褒められたり、楽しいときを過ごしたりしたら、それが"褒美"となりその行動を繰り返す。逆に、バカにされたり注意を受けたりすれば、それが"罰"となりその行動を慎むだろう。一番厳しい罰は、仲間はずれになる恐怖だ。規則を破れば、そのような制裁を受けることもあるのだ。

最後が、社会的交流（social interaction）である。グループメンバーそれぞれが何らかの役割を持っている。そして、メンバーはその役割を果たすことを期待される。定期的にメンバーを集めて食事や会合を開く世話役的なメンバーがいれば、お金を預かる金庫番的メンバーもいる。あるいは、情報通やエキスパートならゲートキーパー（情報伝達）の役目を果たす。このような役目を通して、誰がどのような行動を取るかが暗黙の内に決められるのだ。

個人は社会化を通じて、消費者として必要な知識と行動の規範を得る。ブランドや店舗の選択、交渉術、支払方法、商品の使い方、廃棄処分の仕方など、グループの影響は多岐にわたる上、恒久的でもある。マーケターは、グループ行動を観察・分析することで極めて有意義なヒントを得ることができるのだ。

3 準拠集団
(Reference Group)

準拠集団の価値観、態度、信念が行動の基準となる

　さまざまなグループの中でも、マーケターにとって最も重要なコンセプトが準拠集団：リファレンスグループ（reference group：参照するグループ）である。準拠集団とは、個人が態度や価値観を形成する拠り所となる、あるいは自分の態度や価値観、行動と照らし合わせてみるグループのことだ。つまり、準拠集団の価値観、態度、信念を行動の手引き（guidance）とするわけだ。価値判断、態度の形成、行動の選択などの基準・拠り所を準拠枠（frame of reference）という。

　簡単な例を挙げよう。Aさんが車の購入を考えているとする。日本車を候補に検索を始めるが、近所のガレージにはBMWやベンツなどドイツ車が並んでいることに以前から気づいていた。「ドイツ車についても調べてみようか」と思い始めたら、近所の住人は準拠集団の役目を果たしていることになる。この場合、形のある集団は存在しないが、このようなバーチャルなグループも購買行動に影響を与えるのである。

　また、有名人が身に着けているという理由で同じブランドのものを欲しがる消費者もいる。この場合、有名人は個人であっても準拠集団とみなされる。準拠集団の定義には、個人や仮想グループも含まれる。このように直接個人と対人関係を結ばない集団・個人を間接的準拠集団（indirect reference group）と呼ぶ。

　準拠集団には、家族、隣人、ナイトクラブに集まる若者、芸能人、カリスマ店長、プロの運動選手などさまざまなグループ・個人がなりうる。彼らは豊富な信頼できる知識を持ち、消費者の情報源となったり、考え方や行動のお手本となったりする。準拠集団が仲間や友人である場合には、仲

間はずれにされないよう、同じ商品を買い、同じブランドを選び、同じ活動をして、集団に適合させようとする。前章で述べた均衡理論（p176）の第3の要素である、本人と関連する人、として極めて重要な役割を果たす。

A．準拠集団の種類

準拠集団にはさまざまな種類がある。まず、正式に組織化された集団か、非公式の集団かで分けることができる。他にもいくつかの種類があるので顧客はどの準拠集団の影響を受けるのか研究してほしい。準拠集団を有効利用することは極めて重要なマーケティングの課題なのだ。

1．フォーマル・グループ（Formal Group）

目的を持って組織化され、定期的に会合を持ち、役員が管理する。規則が作られ、各人の役割分担もはっきりと記される。例に軍隊、スポーツチーム、労働組合などがある。

2．インフォーマル・グループ（Informal Group）

同じ寮に住む学生とか、遊び仲間など小さなグループ。同じ職場で働く社員が、社会化するうちに準拠集団となるようなケース。例えば、いつどこでタバコを吸ってもよいとか、誰がどこに座るとか暗黙の了解が作られる。メンバーに対する影響力は通常フォーマル・グループより大きい。特に、友人グループや1日8時間以上も一緒に過ごす職場の同僚が与える影響を無視することはできない。

3．規範準拠集団（Normative Reference Group）

根本的な価値観や行動に影響を与える集団。食事、服装、マナーなど基本的行動の指針を与える。親と子の関係がその例である。

4．比較準拠集団（Comparative Reference Group）

個人が特定分野で自分自身や他者の評価を行う際、比較点として使う集

団。つまり、行動のベンチマークとなるのである。規範準拠集団が基本的な行動や価値観の手引きになるのに対し、比較準拠集団はもっと具体的な行動の手本となる。例えば、商品選択の基準となったり、家の飾りつけや休暇の取り方の手本となったりする。つまり、真似をするに値する集団というわけだ。友人の家で見た素敵な家具や、ブティックの店長が着ていた服を欲しいと思ったことはないだろうか。前述したように、アッパークラスのライフスタイルは、ミドルクラスに模倣される傾向がある。このミドルクラスに訴求するためにアッパークラスのライフスタイルを提案するようなマーケティングがよく行われる。雑誌やテレビ番組で特集を組んで、彼らの所持する製品や行きつけの店などを紹介するのだ。ニューヨーク・ロングアイランドにある避暑地サウス・ハンプトンは、頻繁に取り上げられるので、リッチなライフスタイルの教科書的役割さえ果たしている。

5．願望準拠集団（Aspirational Reference Group）

個人がいつかは入りたいと思う団体や集団。自分の将来像や理想像を彷彿とさせる個人や集団。カントリークラブのメンバーシップ、野球選手だったら殿堂や名球界、高級車のオーナーズクラブなどがその例となる。高級車に乗る友人も願望準拠集団としての役割を果たす場合がある。

6．分離準拠集団（Avoidance Reference Group）

こちらは、逆に模範にしたくないグループである。犯罪人とか不祥事を起こしてマスコミを騒がす有名人などが例である。

B．準拠集団の社会的勢力（Social Power）

どうして消費者は他人の行動を模範にするのだろうか？　どのような人・グループが影響力を持つのだろう？　それにはいくつかの理由がある。それがわかれば、準拠集団をどのように利用すべきかのヒントが得られる。

1．正当勢力（Legitimated Power）
　まず、個人はグループの価値観、規範、信念などを守る義務があると信じ、それらを守るためならグループメンバーには意見を言う権利があると信じる。例えば、警察官に路上で職務質問をされたら無条件に答えるだろう。任意の取り調べで答える義務がなくても、ほとんどの人は従うのだ。
　同コンセプトの応用例として、権威のある人材をPRに起用することが考えられる。アメリカで、ある車両盗難防止用具の広告では警官に似せた俳優を使い、盗難の恐さと製品の有意性を訴えている。警備員のユニフォームが警官のそれに似ているのも、正当勢力の般化を狙っているのだ。あるいは、"日本製を買いましょう"とか"地元の企業を応援しましょう"などのメッセージは、"日本人なら日本の雇用の促進に協力をするのが当たり前"という正当勢力に訴えている。

2．専門勢力（Expert Power）
　準拠集団やグループメンバーは豊富な知識を持っていると信じている場合、彼らの意見に従う。広告宣伝でエンジニア、会計士、シェフ、医者など、その道のエキスパートを使う理由がこの専門勢力である。

3．関係勢力（Referent Power）
　メンバーはグループの一員であると感じたい。特に願望の準拠集団であればその傾向が強くなる。服、車、趣味、ライフスタイルなどに関して、個人は憧れのメンバーの真似をしたくなる。グループと共通点を持つことで一員であることを感じるのだ。有名人は特にこの影響力が強い。

4．褒賞勢力（Reward Power）
　個人はグループ規範やルールに従えば、褒美を与えられると信じる場合がある。例えば、社員は成果を出せば上司からボーナスをもらえると信じて仕事に励む。メーカーや小売店がメンバー登録をした顧客にギフトやディスカウントなど購入額に応じた特典を与えたり、航空会社がマイルを付与したりするのも、褒賞勢力を応用しているのだ。

5．罰勢力（Coercive Power）

　メンバーの行動に従わないメンバーには罰が与えられる。罰といっても金銭的・物理的な罰ではない。例えば、宝石や洋服などのホームパーティ販売で、ひとりだけ何も買わなかったら何となくバツが悪くなり、付き合いでひとつくらい買ってしまうことがある。ホストに気を遣って購入することもあるだろう。これが罰勢力なのだ。企業は通常この罰勢力を持たないが、恐怖喚起メッセージを使って、口臭・体臭・飲酒・喫煙などに対する意識を高めることはできる。

C．商品と準拠集団の影響力

　商品の種類によって、準拠集団の影響力に差が出る。下記の通り、縦軸に商品の露出度、横軸に商品の必需性を用いてそれぞれに対する準拠集団の影響を表に示した。

表3◎商品と準拠集団の影響力

	必需品	贅沢品
人目に触れる	腕時計、ハンドバッグ、乗用車、服など 所有に対する影響は小さい ブランドに対する影響は大きい	ゴルフクラブ、スキー、スポーツカーなど 所有に対する影響、ブランドに対する影響、ともに大きい
人目に触れない	寝具、キッチン用品、大型家電など 所有に対する影響、ブランドに対する影響、ともに小さい	寝室や書斎の調度品、運動用具、卓球台など 所有に対する影響は大きい ブランドに対する影響は小さい

4 オピニオンリーダー（Opinion Leaders）

消費者は自分よりもオピニオンリーダーの意見を尊重する

　オピニオンリーダーは、口コミによって他人の行動に影響を与えるという大切な役割を担っている。口コミによる情報は、広告やウェブサイトの情報より信頼性が高いので、その影響力は極めて大きい。オピニオンリーダーになるのは、友人、近所の人、同僚など個人の周りにいる場合もあれば、有名人やモデルなど直接接触のない場合もある。

　オピニオンリーダーを準拠集団のひとつとみなすこともできるが、規範に従わせるような影響の仕方はしない。オピニオンリーダーは、ある特定分野のエキスパートであり、豊富な知識を有している。その知識力によって他の消費者に影響力を与えるのだ。

　あくまで中立の立場にあるので、情報の信憑性は高いが、その情報の精度が高いかどうかは別問題である。しかし、消費者は自分の意見よりもオピニオンリーダーの意見を尊重する傾向がある。家具や服などは特に影響を受けやすい。

　通常、ひとりが複数の分野でオピニオンリーダーになることは少ない。しかし、世の中にはマーケット・メイブン（market mavens）と呼ばれる何を聞いてもかなり詳細な情報を提供できる人がいることも事実である。彼らはどの保険に入ればよいか、どの航空会社で飛ぶべきか、どのテニスラケットがよいか、どの店で買うべきか、どのレストランがおいしいか多方面にわたって極めて信憑性の高い情報を提供する。

　オピニオンリーダーはオピニオン探求者でもあり、知識欲が非常に強い。認知関与が強いのである。雑誌やウェブサイトはもとより、DMなども捨てずに全て読む。

それでは、彼らはどうしてオピニオンリーダーになりたいのだろうか？それには、いくつかの理由がある。まず、購買後の不安（認知的不協和）を和らげる目的で、自分の買った商品の話を他人にする場合がある。他人にも同じ商品を勧めることで不安を和らげるのだ。みなさんにも経験がないだろうか。

　また、ただ単に他人と経験を共有して楽しみたいという欲求を満たす目的もある。さらに、エキスパートとしての地位を築き、優越感を得たいという欲求があるかもしれない。あるいは、他人のために役に立ちたいと思い、情報を共有する人もいるだろう。最後に、これはオピニオンリーダーに限った話ではないが、非常に満足したか、非常に失望したので誰かに言わずにはいられない、という衝動にかられることが誰しもあるはずだ。

　企業はこれらのオピニオンリーダーを見つけ出し、口コミを誘発するような努力をしなければならない。彼らは専門誌を購読しているかもしれないし、新商品が発売されれば真っ先に購入するかもしれない。また、自分でウェブサイトを持っていたり、展示会にしばしば訪れたり、インターネットで意見交換をしたり、メーカーに頻繁に問い合わせをしたり、活動的な行動を取っている可能性もある。

　オピニオンリーダーを割り出したら、新商品のサンプルを送るとか、意見を定期的に聞くとか、会員になってもらうとか、イベントに招待するとか何らかの接点を持つのだ。そこで新しいネタを提供する。口コミから生まれるヒット商品は映画からスニーカーまで数多く存在する。ただし、口コミを誘発するためには商品自体に口コミに値する話題性が欠かせない。他社に真似のできない優位性は必要条件なのだ。

第12章

選択肢の分類

あなたの顧客は合理的な商品選択をしていますか？

1 選択肢の評価

数ある選択肢からどうやってひとつを選び出すのか？

　問題認識、情報検索と続く次のステップは選択肢の評価である。選択肢の評価は、現代の消費者にとっては複雑かつ困難な作業である。豊富に与えられた選択肢は、消費者の武器となる。ある商品が不当に高値だったり、ある企業が不祥事を起こしたりすれば、その代わりとなる商品は市場に溢れている。しかし、その溢れている商品の中からひとつを選択しなければならないから大変なのである。

　初めてスターバックス（Starbucks）を訪れた客は、種類の多さに圧倒されるに違いない。サイズやフレイバーの組み合わせを変えると、1万9000ものコンビネーションができる。

　P＆Gのパンテーン（Pantene）は、スムース＆スリーク（Smooth & Sleek）からクラシッククリーン（Classic Clean）まで10種類のシャンプーを持つ。その名前だけでは、どのようなシャンプーなのか理解することさえできない。さらにコンディショナー、トリートメントなどを加えると約60の商品がパンテーンのブランド名で売られている。

　もちろん、スーパーやドラッグストアの棚には他のメーカーの商品も並んでいる。小さなスーパーでも1万点、スーパーストアと呼ばれる大型店なら8万点の商品があるという。ケーブルテレビのチャンネル、携帯電話サービスのオプション、検索エンジンが探し出すサイト、アマゾンドットコムで売られる書籍など、数限りなくある選択肢から、消費者はどうやってひとつを選び出すのだろう。

2 カテゴリー分類

店側の商品分類・陳列ひとつで販売数は大きく変わる

　まず、消費者は、意識的あるいは無意識的に商品群をカテゴリーに分類する。例えば、同じ自転車でもスポーツとして楽しもうとする消費者が、買い物かごの付いた、いわゆる「ママチャリ」を購買の候補に入れることはありえない。同様にテニスの上級者が、自分用に量販店で無名のテニスラケットを買うこともまずないだろう。消費者はまず同質の特性を持ったブランドを抽出する。例えば、乗用車なら軽自動車、普通車、ミニバン、ＳＵＶ、ステーションワゴンというカテゴリーに分類できる。

　消費者が定義する製品カテゴリーの中にあなたの会社のブランドが含まれなければ選択されることはありえない。アメリカに「ヨップレイト」というヨーグルトブランドがある。同ブランドのマーケティング担当者は、新商品を発売するに当たって、"食後のデザート"として売り出すか、"子供のおやつ"とするか、"簡単な朝食"と位置づけるかを検討した。仮に"子供のおやつ"と位置づけて、学校から帰ってきた子供が冷蔵庫から「ヨップレイト」を取り出すようなシーンをテレビ広告で流したとする。このようなイメージを植え付けられた消費者が、店に"食後のデザート"を買いに行ったとしても、ヨップレイトは頭に浮かんでこないだろう。

　しかし、"健康的な食後のデザート"として位置づけられ、そのようなイメージを構築したなら、デザートを買う客は、アイスクリーム、フルーツとともにヨーグルトを選択肢のひとつに加える可能性はある。商品をどのように位置づけるか、それによって、実際に購入してくれるかどうかが左右されるわけだ。

　もうひとつ、分類の例を挙げよう。消費者は73％の商品を店舗内で評価

選択すると言われている。つまり、ほとんどの場合、何を買うか計画せずに店に行くわけだ。さて、あるスーパーで２つの陳列法を試した。ひとつはヨーグルトを"ブランド別"に陳列する方法、もうひとつは"フレーバー別"に陳列する方法である。最初の陳列法では、客はさまざまなフレーバーを同一ブランドから選ぶ傾向が強かった。客は陳列された通りブランドでカテゴリー分類をしたのだ。後者では、より多くの客が複数のブランドを購入したそうだ。まず、ストロベリーやオレンジなど好みのフレーバーの陳列棚を見て、その中からおいしそうなブランドを選んだのである。

　食肉でも同じ現象が起きる。日本では、牛肉、豚肉、鶏肉と分類・陳列され、それらが部位によりさらに細分化されている。これがオーストラリアでは調理法別に陳列されている。ロースト用、シチュー用、ブロイル用と分類され、それぞれにビーフやチキン、ラムなどが振り分けられている。こちらの陳列法では、客はより多くの種類の肉を買っていくそうである。

　上記の例は、店側の商品分類が選択に与える影響を示している。店舗内で選択の意思決定がなされるタイプの商品では、ディスプレイの影響は計り知れないのだ。

3 計画外購買

スーパーで販売される商品の60%は計画外購買である

　関与の高い専門品であれば、販売店に行く前にすでに購入する商品がはっきり決まっていることもあるだろう。しかし、車のような高額商品でも、実車を見て色を決めたり、その場でオプションを選んだりすることがある。ましてや最寄品となれば、計画外の製品を買うことが常だ。商品選択に小売店の果たす役割は大きい。

　インマンとワイナーの調査によれば、スーパーで販売される3万種類の商品のうち、60%は計画外の購買、30%ははっきりと計画された購買、10%は大まかに候補を絞った購買であったという。

　また、ヘンリー・センター（Henley Centre）のリサーチでは、73%の購買は店舗内で意思決定がなされるという結果が出ている。[i]

　アメリカのスーパーでは、レジの横に必ずガム、キャンディー、チョコレート、雑誌がディスプレイされている。これらの商品は、売上げの85%が衝動買いによるものだ。[ii]　確かに、子供の遠足でもない限り、買い物リストにガムやキャンディーを書き込むことはないだろう。同じように靴屋のレジ脇には、靴クリームやブラシ、靴紐などが置かれているし、洋品店なら靴下など金銭的負担にならない商品が並べられている。

　買う商品がはっきりと決まっていない場合、また計画外の商品を購入するような場合、現場でのさまざまな環境要因が購買行動に影響を与える。広告や記事で、継続あるいは購買前情報検索をしていても、店で実際に商品を見てセールスマンと話をすれば、選択が変わることもあるし、付属品や付帯サービスなど予定外のものまで購入することもある。これまで広告などによる告知と共にマーチャンダイジングも極めて重要なのだ。

4 位置づけ、ポジショニング

ポジショニングとはブランドを消費者の目と心に印象づける作業

　前述した、商品の"位置づけ"は"ポジショニング"と呼ばれ、マーケティングでは極めて重要なコンセプトである。ポジショニングとはブランドイメージを確立すること、つまり、ブランドを消費者の目と心に印象づける作業である。例えば、ボルボは"安全なファミリーカー"と位置づけられ、消費者の信頼を勝ち得ている。エルメスは"高級デザイナーズブランド"であり、品質や価格に妥協をしない。ユニクロは"安価でシックなデザイン"というポジショニングで急成長を遂げた。スターバックスは、"高品質コーヒーとくつろげる空間"で新しいカテゴリーを作り出した。

　適切なポジショニングをするには、顧客は誰か、客は何を望んでいるのかを把握しなければならない。前述のヨーグルトを"簡単な朝食""食後のデザート""子供のおやつ"のどのポジションを取るかで、マーケティング戦略はまるっきり異なってくる。

　例えば、働く女性をターゲットとするのであれば、ゆっくりと朝食を取る時間がないことは容易に推測できる。したがって"簡単な朝食"は理にかなったポジショニングであろう。あるいは、母親を対象にするなら、"子供のための健康的なスナック"は魅力的なポジショニングである。

　ポジショニングにはいくつかの方法がある。まず、多くの企業は、お手頃価格、高性能、耐久性に富むなど商品の属性をアピールする。当然、その属性は他の商品にないユニークなものであるか、競合製品より優れていることが求められる。例えば、ＢＭＷは"究極のドライビング・マシーン：Ultimate Driving Machine"とその性能を訴え、現代自動車は"ホンダ・シビックより＄1900安く、保証期間はどのメーカーよりも長い"と経

済性＋信頼性をアピールする。

　次に製品の便益を使う方法がある。歯磨き粉なら"歯を白くする"とか"虫歯予防"などがその例だ。"ドアが広く開く"と謳えば商品属性であるが、"乗り降りが楽"とすれば便益になる。つまり、商品特性を客の立場で解釈すれば便益となるのだ。もうひとつ例を挙げれば、メモリー40ＧＢは性能だが、1万曲収録なら便益になる。

　第3に使用場面を利用する。例えば、サントリー・ボスは"休憩中"と"仕事中"というコーヒーを販売している。「モーニングショット」や「午後の紅茶」も場面を想定させる。乳ガン患者用のシリコンパッドをファッション用に"ノースリーブのシャツの下に着けるブラ"として発売して成功したのがヌーブラである。このように同一製品を別セグメントに投入し、新たなポジションを築く方法をリポジショニングという。

　次に、"会計士が使うソフトウエア"とか"シェフ推薦の包丁"など、ユーザーを使う方法もある。初心者用、上級者用など熟練度でもポジショニングできる。旅行の多い人に軽量ＰＣは便利だし、機能的なＴＵＭＩのバッグも重宝する。車掌用時計というポジショニングで正確さをアピールするボール・コンダクター（Ball Conductor）という腕時計がある。もっとも、今では正確さよりもそのストーリー性に価値が見出されている。同じような例として、オメガのスピードマスター（Omega Speedmaster）がある。こちらはアポロ宇宙飛行士御用達のブランドだった。

　特定の使用者ではなく"ナンバーワンの売れ筋商品"と使用者数でアピールするポジショニングは極めて効果的だ。逆に、"日本にはほとんど輸入されていない"など希少価値を売りにすることもよくある。競争相手を利用すると手っ取り早くポジショニングできる。前述したＤＨＬのマーケティングは、フェデックスやＵＰＳとの比較広告を利用してワールドクラスの輸送会社であることを印象づける戦略だ。現代自動車（アメリカではハンデイと発音）はホンダ自動車（アメリカではハンダと発音）をよく引き合いに出す。一流ブランドは比較ポジショニングの対象にされやすい。

　"高級車""ファミリーカー""スポーツカー"など、製品のクラスやカテゴリーによってもポジショニングできる。アメリカにはマーガリンは味

が悪いという印象を拭うために"これがバターでないなんて信じられない：I cannot believe it's not butter"という名前のマーガリンがある。マーガリンという製品カテゴリーから外そうとしているわけだ。セブンアップの"コーラじゃない：Uncola"も同様の意図を持つコピーである。

　消費者はあらゆる商品カテゴリーにおいて、人それぞれの基準を持っている。例えば、車ならトヨタの信頼性、バッグはコーチの価格、下着はワコールの品質、コーヒーはスターバックス味、デパートは高島屋のサービスなどである。自社製品とターゲットとなる顧客層が持つ基準を照らし合わせて、その基準—アンカーとなるブランドと連合させるのか、あえて分離させるのかを決めなければならない。例えば、コーチよりも品質もブランド認知度も劣る商品であれば、その商品をコーチと連合させることによって知覚品質が上がるだろう。逆にコーチよりも高級品であれば、差別化に努めなければならない。

図24 ◉ ポジショニングの方法

1	**製品の属性を使う**：	性能、価格、耐久性、携帯性、希少性など
2	**製品の便益を使う**：	高効率化、コスト削減、心理的満足など
3	**使用場面を使う**：	場所、時間、状況など
4	**ユーザーを使う**：	職業、年齢、ソーシャルクラスなど
5	**競争相手を使う**：	ヒュンダイvs.ホンダ、コークvs.ペプシなど
6	**製品カテゴリーを使う**：	種類、価格帯など

5 集合

3つの集合──認識集合、想起集合、検討集合

　カテゴリー分類されたブランドは、購買するひとつを選択する前に、次に述べる「認識集合」から「検討集合」まで選択肢を狭められる。

A．認識集合（Awareness Set）

　消費者は能動的・受動的継続検索により、さまざまな商品情報にさらされる。購買前に広告で見た商品もあれば、購買時に初めて見るパッケージもあるだろう。それらは全て認識集合として分類される。購買時に認識された商品の集合であり、消費者に気づかれなければ、この時点で購買候補から振り落とされる。

B．想起集合（Evoked Set）

　当然、認識された全てのブランドを記憶にとどめているわけではない。次に"想起集合"まで絞られる。想起集合は1960年代に、ジャグディシュ・シェスとジョン・ハワードによって提唱されたコンセプトである。選択の意思決定時に、頭の中に思い浮かべる（想起する）ブランドの集合のことである。何らかの理由で、これらのブランドは想起されないブランドと比べると際立っているわけだ。

　一度認識された情報は記憶にとどまってはいるが、それらが全て想起されるわけではない。宣伝広告や記事、番組などで見聞きしたブランドの印象が深かったか、過去に経験があるか、どちらかの理由で想起される。想

起集合に含まれるブランドは通常そう多くはない。ある調査によれば、アメリカ人が実際に購買を検討するビールは3ブランド以下だそうだ。車は8ブランドである。ノルウェー人に至っては車の想起集合は2つしかない。だいたい、想起集合に含まれるブランドは2つから8つと言われているが、現実的には8つも想起することはまれだろう。あまりにも選択肢が多すぎて、現代の消費者は比較する手間を省こうとしているからだ。

　シェスは著書『3つの法則』の中で、量販ブランドとして生き残れるのは世界で3社、他はニッチ企業になるだろうと述べている。スニーカーならナイキ、アディダス、リーボック、ハンバーガーチェーンならマクドナルド、バーガーキング、ウェンディーズという具合だ。他は例えば、スケートボーダー向けのスニーカーとか高級ファストフードとかそれぞれニッチを探さなければならない。ＧＥの前会長ジャック・ウェルチが、業界1位か2位でなければ撤退すべしと言ったのはあまりに有名である。それくらいでなければ消費者に名前を覚えてもらえないのだ。

　何のヒントも出さずに炭酸清涼飲料水の名前を挙げてくださいと聞いたとしよう。その消費者が、「コカ・コーラ」「ダイエットコーク」「ペプシ」「ダイエットペプシ」と答えれば、それらが想起集合である。もっと他にないですか？　と問い詰めれば、「キリンレモン」「ジンジャーエール」という答えが返ってくるかもしれない。スーパーの棚の前で聞けばその数は増えるだろう。これらは認知されていても想起はされなかったわけだ。

　Ａ子さんの場合は、テレビＣＭで馴染みがあり、棚の中で一番目立った「タイド」、日本にいたときから知っていた「チアー」、石鹸ブランドの「アイボリー・スノー」、使用経験のあった「エラ」の4つが想起集団となった。同じ棚にあったブランドは、確かに認知したが、目の隅に留まった程度で、意識的にパッケージのラベルを読んだり、価格を見たりという行動はしなかった。

　Ｂ夫さんは、テレビを大型画面というカテゴリーに分けた。当初は、プラズマスクリーンと液晶テレビも候補に入っていた。想起したブランドは、ソニー、パナソニック、日立、シャープ、と全て日系企業であった。フィリップスやＲＣＡ、サムソンなどのブランドは想起されなかった。

馴染みのあるブランドは想起されやすいし、好まれやすい

　はっきり言って、想起されなければゲームに参加できない。想起されなかった時点でゲームセットである。それでは購買の際、どのようなブランドが想起されるのだろう。まず、その商品カテゴリーで最も模範的な、カテゴリーの代名詞ともなっているようなブランドが想起されやすい。例えば、粘着性絆創膏ならバンドエイド、ティッシュペーパーならクリネックス、コピー機ならゼロックス、カメラならニコン、キャノン、スポーツカーならポルシェなどである。テレビの模範的ブランドと言えばどうしても日本製になる。これがB夫さんの想起集団選択の理由だろう。業界ナンバー１、あるいは先行者ブランドは模範的ブランドになりやすい。

　次に馴染みのあるブランドが想起されやすい。コカ・コーラ、ＩＢＭ、ソニー、マクドナルド、Ｐ＆Ｇなどが年間何百億円も広告に使うのは、購買時に想起させるためなのである。そして、消費者は"馴染みがある"を"好む"と混同する傾向がある。同じような商品が棚に並んでいれば、消費者は広告でよく見る"馴染みのある"ブランドを選ぶのだ。[iii]エステー化学の鈴木喬社長は、新商品を発売するときには他社の数倍の広告費を使って競合品を凌駕するという。

　A子さんが想起したブランドも、全てが大量に広告を流す有名ブランドであった。広告を打たなくても、テレビ番組や雑誌の記事で紹介されたり、有名人が着用していたり、ＰＲに力を入れているブランドは同じように認知度が高い。特に関与の低い商品は、性能を比較されることがないので、知名度は販売に大きな影響を与える。

　有名というだけでなく、よいイメージを持たれているブランドはそうでないブランドより想起される確率が高い。アメリカで最も信頼されている会社はジョンソン＆ジョンソンである。このような評判は一朝一夕に築けるものではない。しかし、昨今の企業不祥事を見ればよくわかる通り、ブランドイメージを失墜させるのは一瞬である。

　客がポジティブな経験を持っているブランドも想起されやすい。ディズ

ニーランドですばらしい体験をした客が、次の旅行の目的地としてディズニーワールドやディズニーシーなどを想起しても何の不思議もない。卒業した大学に愛着があれば、そのまま大学院に進もうかと考えるだろうし、何台も同じメーカーの車を乗り続けるオーナーもいる。

　第２章で、顧客はどのような場面で商品を使用するかを知らなければならないと述べた。想起されやすいブランドは、使用場面が浮かんでくるようなブランドなのだ。例えば、ビーチで若者がビーチバレーボールを楽しんでいるような場面は、コカ・コーラがフィットする。家族４人が小旅行に出かける場面では、ホンダ・オデッセイやトヨタ・ウィッシュなどを思い浮かべるかもしれない。ここで重要なコンセプトは、関連性（relevance）である。ブランドイメージが、第５章で説明した消費者問題あるいは使用場面と関連していなければならないのだ。

　次に強いのは、合図＜キュー（cue）＞を与えることのできるブランドである。アメリカの消費者は「スナッグル」のテディベアを見ればすぐにファブリック・ソフトナーを思い出す。他にもロナルド・マクドナルドとか、ペプシマンとか、英会話教室ＮＯＶＡのウサギとか、ミシュランのタイヤマンとか、認知度の高いマスコットは想起を助ける。また、タイガー・ウッズを見れば、多くのスポーツファンはナイキを連想するだろう。スポークスマンも大いにキューの役割を果たすし、コーポレート・カラーやブランド・カラーも合図となるのだ。

　最後に、ブランドやメーカーの専門性が挙げられる。映像・音楽を処理するＰＣと言われたら、多くのユーザーはアップルを真っ先に思い浮かべるだろう。スピーカーならＪＢＬ、アイスクリームのハーゲンダッツ、水泳用品のスピード、携帯電話のノキアなどひとつの製品群に特化しているブランドはその印象も強く残る。認知度の高いブランドを利用して製品の幅を広げるのも売上拡大には有効な手段だが、ブランドの定義を希釈化しないように限定的にブランディングすることもマーケティングでは大切な戦略なのだ。

図25 ◎想起されやすいブランドの特徴

1	模範的ブランド（Prototypical）
2	馴染みのあるブランド（Familiar）
3	優良ブランド（Positive image）
4	客がポジティブな経験のあるブランド（Positive experience）
5	消費者問題や使用場面に関連性のあるブランド（Usage situation）
6	想起する合図のあるブランド（Retrieval cues）
7	メーカーの専門性（Expertise）

C．検討集合（Consideration Set）

　検討集合は、想起集合と同じ意味で使われることもあるが、ここでは（シェスの定義に従って）、定義を狭めて説明する。想起されたブランドの中で、購買を検討し、実際に比較するブランドとなるとさらに数が少なくなるはずだ。例えば、想起しても店の棚に陳列されていなければ、購買を検討することはできない。また、有名という理由で想起しても、購入に至らない場合がある。

　先の質問で、「コカ・コーラ」「ペプシ」を想起した消費者でも、もし糖分摂取を気にしているなら、実際に購入を検討するブランドは何ですか？と聞かれれば、「ダイエットコーク」「ダイエットペプシ」という答えになるはずだ。

　A子さんの場合は、洗濯洗剤に対する関与が低く、特に購買を検討することなく、20％増量のタイドを選択した。そのため、検討手段は想起集団と同一であった。検討することなく、刺激に反応して意思決定がなされた

わけだ。B夫さんは、価格差が3倍から5倍もある液晶とプラズマは候補から外したので、検討集団にはソニー、パナソニック、日立という3ブランドのリア・プロジェクションテレビが検討集合として残った。

　マーケターは、顧客の"検討集合"には他にどのブランドがあるのかを知らなければならない。つまり、直接競合ブランドを特定するのである。その上で、どうして自社製品が選ばれたのか、あるいは選ばれなかったのか、その理由がわかればマーケティング戦略に道筋がつけられる。

　A子さんの場合、広告や経験で馴染みのあるブランド5つが想起集合に残った。品質に差異はないだろうと考えていたので、20％増量のプロモーションが選択の理由となったわけだが、ライバル会社ならそのプロモーションに勝る戦略が必要である。それならば30％増量にしよう、ということではない。そのような「目には目を、歯には歯を」の直接対決を挑むと、最後には規模の大きな会社が勝つか、誰も儲からない業界になるかのどちらかに終わり、いずれにせよよい結果は生まないのだ。それよりも、A子さんのような消費者の「問題」を徹底的に解明するのである。

　消費者は肌に優しい洗剤を求めているかもしれないし、白いシャツが黄ばんできていることを気にしているかもしれない。あるいは、環境問題を憂いているのかもしれない。このような問題意識がなくても潜在的なニーズはあるかもしれない。それならば、"アトピーに効く""まぶしい白さ""環境に優しい"というようなメッセージに目を留めたはずだ。知名度の高いブランドなら、そのブランド名を大きくパッケージに描くことは効果的であろう。知名度がそれほど高くないのであれば、ブランド名よりむしろ"機能"を前面に押し出すようなパッケージングが効果的だ。それを実践しているのが小林製薬である。会社名を聞いてもピンとこないかもしれないが、"チン！　してふくだけ"とか"熱さまシート""トイレその後に"などは多くの消費者が認知しているはずだ。

　関与の低い商品を選ぶのに、消費者はあれこれ考えない。訴える製品特性をひとつに絞って訴求することが大切なのである。B夫さんの場合も同様である。3つのブランドはどれも甲乙付けがたい製品だった。結局、大型テレビに特化しているという"専門性"に惹かれて日立を選んだが、も

し他にひとつでも抜きん出た性能、機能、デザイン、利便性があればその製品を選んでいたに違いない。

　競合ブランドと差別化すべく訴求するひとつの特性をＵＳＰ―ユニーク・セリング・プレポジション（unique selling preposition）という。伝説的な広告マン、ラッサー・リーブス（Rosser Reeves）は、「伝えるメッセージはひとつでよい。他社が真似できないＵＳＰを、ひとつだけ強調するのだ」と言った。いくつもの特性を並べ立てても効果はない。ターゲット顧客の問題に関連するＵＳＰを訴えることが肝要なのだ。安全性のボルボ、信頼性のトヨタ、デザインのアップル、先進性のソニー、液晶のシャープ、エブリデイ・ロー・プライス（ＥＤＬＰ）のウォルマート、プレミアムアイスクリームのハーゲンダッツなど、どのブランドも強烈な個性を持っている。逆にメルセデス・ベンツの小型車、フォルクスワーゲンの高級車、ＩＢＭのＰＣ、コダックのデジタルカメラ、モンブランの腕時計などしっくりとイメージが合わないと感じる消費者も多いのではないだろうか。本来ブランドが持つ意味を薄めるどころか、定義に逆行するようなエクステンションは著しく価値を傷つけるのだ。

i　www.msi.org/msi/publication_summary.cfm？ publication＝502：Marketing Science Institute, Report #98-122, Where the Rubber Meets the Road：A Model of In-store Consumer Decision Marketing, J Jeffrey Inman and Russell S. Winer

ii　Michael Solomon, Consumer Behavior：Buying, Having, and Being（Upper Saddle River：Prentice Hall, 2002）p.301.

iii　Barry Schwartz, The Paradox of Choice：Why More is Less（New York：Harper Collins, 2004）：p.54.

第13章

評価選択

あなたの顧客は何を基準に
購買の意思決定をしているか知っていますか？

1 非相補的意思決定規則（Noncompensatory Decision Making Rules）

非相補的意思決定規則は関与の低い商品に用いられる

　前述した検討集合の中からどのように選択をするのか、意思決定規則をいくつか紹介しよう。商品への関与度や意思の重要度により、消費者は異なった規則に従って意思決定を行う。それらの規則は大きく、非相補的意思決定規則と相補的意思決定規則の2つに分けることができる。

　非相補的意思決定規則は比較的単純な方法であり、関与の低い商品に用いられる。同規則では、いくつもの優れた要素を持つ商品であっても、購買者にとって重要な要素に劣っていれば、その商品は候補から落とされるのが特徴だ。購買者に深く関連する基本的属性で、一定基準に満たない候補は落とされるのだ。逆に基本的属性で及第点に達すれば、他が劣っていてもその商品を選択する。同規則にはいくつかの型がある。

A．辞書編纂モデル（Lexicographic Model）

　このモデルでは、購買者はまず、属性を大切な順に並べる。そして最も大切な属性で最も優れた商品を選択する。もし2つ以上の商品が選択されたら、次に重要な属性で評価し、最後にひとつ残るまで繰り返す。

　例えば、ミニバンの購入を検討している消費者がいるとしよう。車は高関与の商品であるが、購買行動を辞書編纂モデルで説明することができる。表4では、「燃費」が最も重要な要素である。第一段階では燃費で他を圧倒するモデルT、H、Nが選択される。さらに絞り込むために次の重要要因で評価する。第二段階ではパワーの似通ったTとNが残る。そして、最後の要因であるハンドリングが評価され、5つ星のモデルTが選択される

表4◎辞書編さんモデル

ステップ	属性	候補	評価
1	燃費	モデル T	18km/ℓ
		モデル H	17.5km/ℓ
		モデル N	17.8km/ℓ
		他モデル	10km/ℓ以下
2	パワー	モデル T	250hp
		モデル H	180hp
		モデル N	249hp
3	ハンドリング	モデル T	5つ星評価
		モデル N	3つ星評価
4		モデル T	選 択

第13章 評価選択

のだ。

　実際にこのような表は作らないかもしれないが、皆さんが車やＰＣ、家電を購入したときのことを思い出してほしい。最重要要因から評価を始めて、徐々に候補を絞り込んではいなかったであろうか。企業は当然、何が重要要因で、ライバルと比べるとどのように評価されているのかを知る必要があるのだ。

Ｂ．ＥＢＡモデル（Elimination-by-Aspect Model）

　ＥＢＡモデルでも、先の辞書編纂モデルと同じように、属性を重要度に応じて並べる。このモデルの違う点は、各属性にカット・オフ・ポイント（及第点）を設けることだ。最後にひとつのブランドが残るまで、各属性のカット・オフ・ポイントに達しないブランドをふるい落としていく。Ｂ夫さんが日立のプロジェクションテレビを選択した方法がこの型に当てはまる。

　Ｂ夫さんにとって、最も大切な属性は画面の大きさだった。ブラウン管式は最大40インチなので候補から落とされた。最低50インチは欲しいと考えていたのだ。次に、価格の比較で液晶とプラズマが候補から落とされた。

表5◎EBAモデル

ステップ	属　性	及第点	候　　補
1	画面サイズ	50型以上	プラズマ
			液晶
			プロジェクション
2	価格	$3000以下	ソニー　プロジェクションテレビ
			日立　プロジェクションテレビ
			パナソニック　プロジェクションテレビ
3	専門性	大型テレビ専門メーカー	日立　プロジェクションテレビ

＄3000以上出すつもりはなかった。同じ大きさ、似たような価格のリア・プロジェクション大型テレビの中で、ソニー、パナソニック、日立の製品が検討集合として残った。しかし、ショールームで画像を見比べても際立った違いは見出せなかった。最後の評価要因となったのはメーカーの専門性である。大型画面しか製造していないという理由で日立が選ばれたわけだ（これは主観的な評価であり、実際に性能が優れているかどうかは評価されなかった）。

　自社製品の購買者が、辞書編纂やＥＢＡモデルに従って商品選択をしているなら、企業は重要属性の成績を徹底的に向上させる必要がある。全ての属性において平均的な評価を受ける商品より、重要属性で際立った成績を収めるような商品作りが望まれるのだ。Ｂ夫さんは決め手がないので、半ばこじつけのような理由で選択をした。高価な商品なので、例えば"０％利子、３年分割払い"のようなプロモーションがかかっていればそのブランドを選んだかもしれない。Ａ子さんが洗剤を選択した理由と同じになるが、高額商品でもセールス・プロモーションは購買を後押しするのである。アメリカではよく自動車メーカーが、売上げの伸びない車種の値引きを行う。テレビで"＄2500現金バック"とか"金利ゼロキャンペーン"という広告を頻繁に見る。

　もうひとつ例を挙げよう。イタリアのアルファロメオを購入するドライバーは、一様に"運転の楽しさ"を口にする。数字には表れないが、ハンドルを握ると感性に訴えるパフォーマンスを示す。馬力、装備、安全性、信頼性、居住性などは日本車に及ばないだろう。しかし、"運転して楽しい（fun to drive）"というひとつの属性が突出しているので、根強いファンを獲得しているのだ。ハーレーダビッドソンも同じような特徴を持っている。アップルもデルに比べたら価格は２倍以上もするが、ユーザーは熱烈なアップル・ファンだ。このように機能性とは別に感情に訴えることのできるブランドは、顧客のロイヤリティが高くなるのだ。

C．統合モデル（Conjunctive Model）

　先の2つは属性をひとつずつ評価したが、統合モデルではブランドを評価する。つまり、いくつかの属性を同時評価して、ひとつでも及第点に達しなければ、そのブランドはふるい落とされるのだ。最初に全ての属性で及第点をクリアしたブランドが選択される。例えば、1万円前後で、デザインに優れ、履きやすい、黒の靴という条件を設ける。この場合、どれひとつ欠けても購買はしないのだ。どんなに履きやすくて、デザインに優れていても、予算1万円と決めている消費者は、5万円の靴を買うことはない。デザインがよくても窮屈な靴を買う消費者もいない。あるいは、全ての条件が揃っていても茶色しかなければ次の店に行くはずだ。

D．分離モデル（Disjunctive Model）

　これは、言うなれば最もいい加減な選択方法である。統合モデルではひとつでも及第点に達しない商品はふるい落としたが、分離モデルでは、ひとつでも及第点に達していればその商品を選ぶ。例えば小銭が必要になって、1万円札を両替するために何かを買うとしよう。おそらく最寄りのコンビニや駅の売店に飛び込むだろう。第1の条件は100円前後で買えることとする。次に朝刊を読みたいと考える。その売店でもし朝刊が売り切れていたら、120円のペットボトル入りお茶を買うかもしれない。これで十分に最初の条件を満たしているからだ。あるいは、朝刊が200円したとしても、これは2つ目の条件を満たしているので購入するだろう。
　電車に乗る前など時間つぶしのために、それほど読みたくもない雑誌を売店で購入することはよくある。ホームで買える手軽な読み物であれば何でもよいわけだ。これも分離モデルの代表的な例である。

E．カット・オフ・ポイント（Cutoff Point）──及第点を知る

　顧客が定める各属性のカット・オフ・ポイントを知ることは極めて大切

である。ＰＣであればクロックスピード、メモリー、ハードディスク容量、画面サイズなど、購買者がはっきりとスペックを指定してくる場合がある。特に購買者にとって重要な属性でカット・オフ・ポイントに及ばなければ選択から漏れる。価格はほとんどの商品で壁となり、購買に影響を与える。ビデオデッキや携帯電話などは、発売当初はほとんどの消費者にとって高嶺の花だった。それが、今やコモディティとも言える値段で販売され、ピラミッドの裾野にいる消費者層のカット・オフ・ポイントでさえクリアした。つまり誰でも買える商品になったのだ。これほど劇的な値下げがなされなくても、定価から若干の値引き、あるいは若干の性能アップを図ることでカット・オフ・ポイントを越えられる場合もある。そのためにバーゲンセールを行ったり、モデルチェンジを図ったりするのだ。

　アップル・アイポッド・ミニ（iPod Mini）はメモリーが小さくなった分、価格も＄100ほど安くなった。これにより、高くても高性能を求める客、性能を犠牲にしても低価格を望む客という異なった層の顧客を獲得することに成功したのだ。アイポッド・ミニは、性能のカット・オフ・ポイントが低く、価格のカット・オフ・ポイントが高い客層に受け入れられたわけだ。同社はさらに、容量１ＧＢ、価格は半額のアイポッド・シャッフル（iPod Shuffle）で新たな顧客層を開拓している。

　商品に陳腐な付属品やサービス品をつけることによって、本体の価値を落としてしまうことがあるから気をつけなければならない。例えば、ノートブックＰＣに安物の携帯用バッグがついていたとしよう。革のケースを買おうとしている客なら、付属品はカット・オフ・ポイントに及ばないので邪魔になる。付属品をわざわざ捨てるなら、最初から付属品なしで少しでも安いモデルを買おうとするかもしれない。

　あるいは、同じような価格で売られている競合品を見て、そちらはバッグがついていない分本体にお金をかけている、と考えるかもしれない。さらに、安物ケースのイメージが本体に投影されれば、それがアンカーとなり本体の価値すらダメージを受ける。付属品はつければよいというものではない。それ自体が顧客の価値を創造しないのであれば、誰も欲しくないし、誰も得をしないのである。

2 相補的意思決定規則（Compensatory Decision Making Rules）

他は劣っていても、ある特性が優れていれば選択される

　相補的意思決定規則では、ある属性に劣っていても、他の特性でそれを補うことができれば、そのブランドが選択される。優れた要素が劣った要素を補うのだ。全ての属性で優れている製品などありえないので、購買者はどこかで妥協点を見つけようとする。高額で、リスクや重要度が高く、消費者関与の深い商品は、この規則に従って選択されることが多い。

　もし、B夫さんがオーディオビジュアル機器に深く関与していれば、相補的意思決定規則に従って属性を評価したに違いない。画像・色の鮮明度、光源の明るさ、視野角の広さ、音声、操作性、メンテナンスのしやすさなど、各項目の優劣を総合評価して選択したはずだ。

多属性態度モデル（Multiattribute Attitude Model）

　相補的意思決定規則の代表的なモデルがフィッシュバイン（Fishbein）の多属性態度モデルである。同モデルでは、各属性の評価に加えて、属性の重要度も考慮される。レストランの選択を例にとって、同モデルの説明をしてみよう。

　同じ地域のレストラン3店が検討集合に選ばれたとしよう。ある購買者が意思決定に影響を及ぼす属性として、内装、サービス、駐車場の広さ、レストランまでの距離、そして味を挙げたとする。まず、各属性の重要度を決める（1-5：1＝重要でない、5＝とても重要）。次に各店をそれぞれの属性で評価する（1-5：1＝劣っている、5＝優れている）。最後に属性の重要度と評価値を掛け合わせて、それら合計の最も高いブランドが

選ばれるのだ（レストランの場合、味は決定的な選択要因となるのでこの例ではあえて外した）。

表6◎多属性態度モデル

属性	属性の重要度 1-5	レストランA評価 1-5	重要度×評価	レストランB評価 1-5	重要度×評価	レストランC評価 1-5	重要度×評価
内装	4	4	16	3	12	5	20
サービス	3	5	15	4	12	3	9
駐車場	2	3	6	5	10	4	8
距離	4	5	20	3	12	2	8
価格	5	5	25	2	10	3	15
総合得点			82		56		60

　上記の通り評価されれば、総合点の最も高いA店が選択されることになる。Aは駐車場の広さでは劣っているが、重要度の高い価格や距離で得点を稼いでいる。価格と駐車場が相補関係にあるのだ。購買者は、このように数値化して比較分析をすることはないだろうが、相補的規則に従って商品選択をすることはよくある。この購買者は、「駐車場は狭いけど、やっぱり安いしサービスもよいからA店にしようか」とか、「C店は雰囲気はいいけど遠いし高いからね」というような評価をするはずだ。これが各要因をトレード・オフする相補的意思決定規則なのである。

　この例ではA店が選択されるわけだが、他店の担当者であったらどのようにしてこの顧客の態度を変えることができるだろうか。もちろん一番基礎的な戦略は、弱みを克服することである。B店やC店であれば、Aより劣っており、重要度の高い価格の見直しは必須である。

一方、Bは駐車場ではAに大きく勝っている。問題は駐車場の重要度が低い点である。それならば、Bは駐車場が完備していることがいかに大切かを訴えるのだ。重要度を高めることで総合点を上げ、A店との差を縮めるのだ。次に、距離を見てみよう。BはAに大きく離され、しかもこの項目は重要度も高い。距離を縮めることはできないので、遠くにあっても問題がないことを伝えなければならない。つまり、距離の重要性を低くすることでA店との差を縮めるだ。Bの場合、駐車場が完備しているので、車での来店を勧めることができよう。最後に全く新しい機能やサービスを付加することが考えられる。特別サービス、支払方法、アトラクションなど何かで競合品と差別化を図るのである。競合店Aの評価を下げるような戦略もあるが、比較広告が一般的でない日本市場では現実的な戦略とは言えない。

　もしターゲット消費者が「低価格」という理由でA店に行くのなら、競合相手は他の属性も総合評価させるような努力をしなければいけない。たとえは違うが、消費者に相補的意思決定規則を強いるのは、アメリカの自動車メーカーがよく使う手段である。日本車と比べると、信頼性、コス

図26◎多属性態度モデルを使った戦略

1	重要度の高い弱み要因の克服
2	強み要因の重要度を高める
3	弱み要因の重要度を低める
4	新しい要因を提供する
5	相手の強み要因を攻撃する

ト・パフォーマンスなど重要属性でかなわないので、プリント広告でありとあらゆる属性を羅列するのだ。パワーウィンドウ、パワーブレーキ、4速オートマチック、サンルーフ、ＣＤプレーヤー、本皮内装などついていて当たり前の装備や、ついても、ついてなくてもいいような装備を並べ立て、「こちらの車は全てスタンダードでついてきます」「ライバルのＡ車、Ｂ車ではオプション設定となっています」とチャートを作って直接比較するわけだ。効果のほどは定かではないが、狙いは相補的意思決定規則に消費者を持ち込もうとしているのである。

Column 8

ニューヨークでのアパート探し

　たまたま、筆者の回りにアパートメントを探している友人が数名おり、彼らの消費者行動を見ていると意思決定の規則に違いがあるのに気づく。まず、なかなか気に入ったアパートが見つからない友人には理由がある。それは、統合モデルにあるような探し方をしているからだ。家賃に上限を設けないのであれば、統合モデルでも満足いく物件は見つかるだろう。

　しかし、家賃の上限があり、その上、部屋は100㎡以上、安全、駐車場完備、プール付き、ドアマンがいるなどの条件を満たさなければ住みたくないというのだ。もう一方は、相補的意思決定規則に従って、ある程度の重要条件が満たされれば、他は目をつぶって意思決定をしている。時間軸も加味されるが、許される範囲内での妥協をしないと、いよいよ意思決定を迫られたときに最悪の選択を強いられないとも限らないのだ。

　家主やその代理人であれば、部屋探しに来た客は何を求めているのか、手持ちの部屋はどの条件を満たして、どの条件に及ばないのかを聞き出さなければならない。そして満たされた条件が、及ばない条件を凌駕するというメッセージを伝えるのだ。

3 ヒューリスティックス（Heuristics）：安直な方法

手っ取り早く意思決定するための近道

　毎日、限られた時間内に、多くの意思決定を強いられる消費者は、先に説明したような意思決定規則に従って商品を選択するとは限らない。むしろ、出来るだけ手っ取り早く意思決定をしようとするはずだ。

A．品質を示唆する外的属性（Extrinsic Attributes）

　品質を評価することが難しい場合、消費者は商品の外的属性に頼ろうとする。その中でも、重要な属性がブランドイメージあるいは企業イメージである。ブランド名や企業名は客にとっては保証書のようなもので、客が描くイメージ通りの商品を提供する約束なのである。価格も意思決定に大きく影響を与える。多くの消費者は、高価格＝高品質と結論づける。他には、販売店のイメージ、原産国、創業年などがシグナルとなって選択に影響を与える。

　各種サービスは無形商品なので、サービスを受けるまでその質を評価することはできない。そこで有形な建物の内装・外装、設備などで質を予測するのだ。病院でも整備工場でも清潔な環境に最新の設備を揃えておけば信頼できそうな気がしてくる。また、従業員の身だしなみや言葉遣いも大きく影響を与える。ショップやレストランであれば、混み具合を選択基準にする客もいる。確かに客がまばらなレストランに入るのは勇気がいる。

　製品でもサービスでも、大前研一氏が『一人勝ちの法則』で示した通り、ナンバーワンを選ぶことはヒューリスティックスの代表的な方法である。一番売れているということは、人々の信頼を得ているということである。

つまり、消費者は他人の選択に頼って商品選びをするわけだ。アメリカでも、30の商品群で27のブランドがナンバーワンの位置を70年間以上も守り続けている。[i]ナンバーワンは何にも勝る宣伝文句なのだ。

B．ブランドロイヤリティ（Brand Loyalty）

頻繁に購入する商品であれば、特定ブランドに忠実になることで、購買活動を簡素化できる。情報収集の必要もなければ、品質評価をする必要もない。毎回同じブランドを買い続ければよいわけだ。新しいブランドで失敗したくないし、他を探すのが面倒である、という消極的な理由でひとつのブランドを買い続けることがある。しかし、このような消費者は、他のブランドが値引きなどのプロモーションを行えば簡単にスイッチしてしまう。自社製品を買い続けているから、忠実とは限らないわけだ。

一方、そのブランドでなければならないという忠実な顧客もいる。ブランドにこだわり（内在化された態度）を持っている客である。そのこだわりは、他の商品にない特性かもしれないし、ステータスやプレステージという心理的要素かもしれない。このような顧客は、ブランド関与も商品関与も深く、口コミで他の客を連れてくる有能なセールスマンになる。

ただし、このような顧客は品質に妥協したり、特性を変えたりすることを極端に嫌うので、安易な変更は禁物だ。これは1980年代に発売されたニューコークがよい教訓となる。わずかなマーケットシェアの低下を危惧した経営陣は、99年間守り続けたレシピを変えてペプシと同じような味に変えてしまったのだ。顧客の反撥を受け、あわてて元のコークを「コーク・クラッシック」として発売したが、マーケットは大いに混乱した。

C．特異性（Salience）と鮮明さ（Vividness）

特異な情報のほうがありきたりの情報より記憶されやすい。消費者はじっくり商品の比較をせずに、特異なプレゼンテーションをされたブランドを想起して購入することがある。第7章で、アダプテーションを防ぐため

に変わった媒体を使って宣伝すると紹介した。ボクサーの背中の刺青やトイレマットのロゴは、雑誌の小さな広告より特異である分だけ記憶されやすいのだ。つまり、奇をてらった名前、媒体、画像はよく覚えているのである。好むと好まざるとに関わらず、東京に1日いれば印象に残る変わった格好をした若者の1人や2人には必ず出会う。商品もこのようなインパクトがなければならないのだ。

また、鮮明な印象も記憶されやすい。例えば、広告のコピーは鮮明ではないが、口コミによる商品説明は至って鮮明である。雑誌で読んだ商品の批評より、親友から聞かされた経験談のほうが鮮明であり、記憶に残りやすく信憑性も高いのである。たとえは悪いが、飛行機事故は交通事故より鮮明である。同じようにエイズは脳卒中より鮮明だ。交通事故や脳卒中のほうが死者が多くても、エイズのほうがセンセーショナルであり人々の注目を浴びやすいのだ。消費者にはイベントやPRなどによる話題作りで、できるだけ鮮明でドラマチックな印象を与えなければならない。派手なプレスコンファレンスやショーで華々しく新商品を発売するのは、鮮明さを高めるのが目的なのだ。

Column9

サントリー伊右衛門はなぜヒットしたのか？

消費者行動論を使って本書の冒頭に名前を出した「サントリー伊右衛門」がヒットした理由を裏づけることができる。

日本には8000種類のソフトドリンクが市場に溢れ、その内の1000種類が毎年入れ替わるという激戦マーケットである。ペットボトル入り無糖茶は、1981年に伊藤園とサントリーが先鞭をつけて発売した。最近では、キリンの「生茶」やアサヒの「旨茶」など新しいブランドが発売直後トップに躍り出ることはあったが、「伊右衛門」は生産が追いつかないほどのヒットとなった。

サントリーは、ビール、ウィスキー、ソフトドリンク全てに社名を冠するので、ポジショニングがしにくいし、消費者にとっては顔が見えに

くいというハンディを背負っている。どの商品も本物志向ですばらしい品質なのに、常に副業的イメージが付きまとってしまうのだ。伊藤園ならその"専門性"でポジショニングできるが、サントリーと聞けば「サントリーオールド」や「生ビール」あるいは「燃焼系」がちらついてしまう。このハンディを解消したのが、共同ブランディング（Co-branding）の相手である京都福寿園だ。福寿園の名前を知らなくても、京都のブランドイメージと創業寛政2年と聞けば、本格的なお茶の香りが漂ってくる。サントリー単独であれば、山崎工場を持っているにしても京都の茶の香りはしてこない。

　伝統的京都、本物志向、上質・上品というユニークなポジショニングが第一の成功要因と言えよう。このような位置づけはこれまでなかったはずだ。このブランドイメージを上手に演出したのが、竹筒型のボトルとテレビＣＭである。このボトルは極めて特異（salient）で、シェルフ・インパクトが高い（棚でよく目立つ）。しかも、イメージにぴったりのデザインだ。形のみならず、つや消しグリーンの色合い、ロゴ全てがよく計算されている。手に取るとぴったりと手に馴染んで好感が持てる。アメリカのパッケージング業界では数年前に、ペットボトルの持ちやすさが話題になった。グリッパビリティ（gripability）という表現を使っていた。ペットボトルのお茶を買う顧客層は、オフィスで働くビジネスマンが多いので、彼らが机の上に置いたときの見栄えも重要な要因だそうだ。ペットボトルがインテリアの一部にさえなるのである。それほどパッケージデザインは重要なのだ。

　宣伝に使われた暖簾と着物は日本の上質、上品なイメージを出すことに成功している。俳優の宮沢りえと本木雅弘を時代劇のようなセッティングで登場させるのも新鮮であり、購買時の想起を助けるに違いない。どちらかと言えば若い層に人気の2人でもこのような演出なら、年配の顧客層にも十分アピールすることができたのではないだろうか。エンターテインメント性も極めて高い。加えて、スーパーなどに置かれる大量陳列台は、日本ＰＯＰ広告協会の2004年ＰＯＰ作品グランプリを取るほど秀逸だ。暖簾など広告のイメージがそのまま再現されている。

ユニークなポジショニング、パートナーである福寿園のイメージをうまく利用したブランディング戦略、京都のイメージで上品さ、上質さ、本物志向を知覚的に訴えた広告、ボトルデザインの特異性、人気俳優を奇抜なセッティングで起用した新鮮味、広告と連動したＰＯＰと、全てが相乗効果を発揮してヒットにつながったのだろう。やはり売れる商品には売れる理由があるということだ。もちろん、商品自体の競争力が前提条件となる。同商品は非加熱無菌充填方式で、急須で入れる緑茶の味と香りを再現しているそうだ。

4 意思決定の不合理性

低価格だからといって顧客が喜ぶわけではない

　消費者が、常に理にかなった意思決定をするとは限らない。消費者が深く関与している商品なら、製品属性などを比較分析して合理的に選択するだろうが、意思決定が感情や環境に左右される場合もよくある。例えば、イライラした時にタバコが吸いたくなったり、食べ物の匂いで空腹を覚えたりする。気分が高揚しているときには、計画外の商品を買い込んだり、これまで購入したことのないブランドを試したりもする。また、A子さんの例で説明したように、スーパーなどでは陳列棚での位置が、商品の売上げに大きく影響する。照明やディスプレイ、あるいは店舗の込み具合や清潔感も影響要因となる。

心理的財布

　感情や環境に加えて、消費者の心理的財布という不合理性が存在する。例えば、同じ日に行われる2つのコンサートチケットを間違って購入してしまったとしよう。ひとつが1万円で、もうひとつが5000円である。回りの友人全員が「5000円のコンサートのほうが絶対に面白い」と言っても、多くの消費者は1万円のコンサートに行くのだ。多くの消費者にとって、商品の質よりも1万円を失う痛みが優先され、質の高い商品より、価格の高い商品のほうが価値が上がるわけである。

　商品価値は出費の痛みと比例するのだ。人からただでもらったものをなくしてもあまり心は痛まないが、自分で買ったものなら必死で探すのではないだろうか。先の例でも、5000円のチケットは自分で購入して、1万円

のチケットはもらいものだったら、多くの人が5000円のほうを選ぶのだ。失ったものの実質的価値と感情的価値には大きな違いがある。消費者心理を考慮すると、低価格にすれば顧客価値を高められるという短絡的な結論は簡単に出せないのである。

Column 10

価格の心理的作用

　価格設定に関して面白い研究がされている。フィットネスクラブなど、入会時に1年分の費用を前払いしたり、高い入会金を取ったりするところがあるが、これは客を維持するには逆効果だというのだ。

　高い会費を払った客は、最初は一生懸命に通うだろう。それが1カ月経ち、2カ月経つうちに出費の痛みを忘れてしまう。フィットネスにそれほど熱心でない会員は、最後の頃には全く通わなくなるというのだ。一方、毎月徴収するような方法であれば、財布の痛みが持続するので、最後まで細く長く続く可能性が高くなるという。(iii) もし、半年も通っていないクラブであれば、次の年に契約を更新することはないだろう。企業としては、客に少しでも通い続けさせる努力が大切なのだ。前述したように、購買後も客の関与を高めなければならないのである。

　ディスカウント率も、心理的財布に影響を与える。例えば、以前からとても気に入っていた定価4万円のバッグが3万円で売られていたとしよう。喜んでそれを買おうとしたところ、その隣に定価6万円のバッグが同じ3万円で売られているのを見つけたらどうだろう。心が大きく揺らぐはずだ。

　他にも不合理性の例を挙げよう。数千円のディスカウントを求めて格安の航空券を購入する消費者が、飛行場まで電車を使わずにタクシーに乗ったりする。同じような金額であっても、使い道によって、痛みの尺度が変わるのだ。また、自分の給料から大きな支払いをするのをためらう消費者も、ボーナスからだったら抵抗なく購入したりもする。財源が違えば心理的苦痛も和らぐ。会社や他人の金ならさらに抵抗なく使うの

も人間である。また、不況の日本にあって、ルイ・ヴィトンやグッチが飛ぶように売れるのはなぜだろう。消費者の価値観あるいは心理的財布を経済理論で測ることは、不可能な場合もあるのだ。

　消費者にはロス回避（loss aversion）という偏見もある。何かを得る喜びより、失う痛みのほうが大きいと言われている。アメリカのセールスマンはよく、「今日契約してくれるならこれだけ値引きしましょう」と言って購買を促す。時間をかけて探せば、さらに低い額を提示する店があるかもしれないが、明日になれば定価で買わなければならないという恐怖心が働く。このような言葉をかけられると、その場で契約書にサインしてしまう購買者は意外と多いのだ。確かに特別セールで売られていた商品が定価に戻っていれば、かなり損をした気分になるに違いない。次の日に同じセールスマンのところに行けば、おそらく同じディスカウントをするのだろうが、客を精神的に追い込みセールスをクローズするのもセールスマンの技なのだ。金融商品取引でも同じような心理が働くのではないだろうか。高値で売り損ねた投資家は、たとえ儲けが出ていたとしてもまた同じ額になるまで持ち続けたりする。

　フレーミング（表示の仕方）によっても、価格の印象が変わる。例えば、1万円の商品で、2割引と2000円引きではどちらが消費者にアピールするか、というような調査はよく行われる。オンラインショッピングで、利用者が一番嫌うのは送料・手数料である。ある会社が「全品＄10引き」と「送料・手数料無料」の2つのディスカウントを試したら、後者のほうがはるかに効果的だったという。送料・手数料は＄8だったのだ。また、ある会社は、月＄30の会費と言わずに、「1日コーヒー1杯分」と広告に載せた。これも効果があったそうだ。

　上にさまざまな不合理性の例を挙げた。マーケターは顧客がどのような心理的財布を持っているのか、その心理状態をどう利用できるのかを調査して実験し、価格やセールス・プロモーションの精度を上げなければならない。

Column 11

知覚を利用した価格戦略

　知覚を利用した価格戦略を2つ紹介しよう。1つ目はプロダクト・ライン・プライシングと呼ばれる戦略だ。ブティックなどではよく、ひとつのラインで複数のスタイルをディスプレイする。まず、廉価版をショーウィンドウに並べる。客は安価の商品を見て安心してドアを開ける。ここに一番高級な商品を並べてしまうと、敷居を高くしてしまうのだ。廉価版が客引きの役目をする。

　店内の目立つところには、ラインの中で一番高級で見栄えの良い商品をディスプレイする。これで店の格を上げるのだ。単に安物の店ではなく、高級品も扱うブティックですとメッセージを送るのである。この商品はイメージ・アップの役割を果たす。

　そして、一番豊富に揃えるのが中間価格帯の商品である。これらの商品は利益率も十分に確保するように価格設定する。顧客が関心を示すのはこれらの中間価格商品だ。人間は本能的に真ん中を選ぶのである。筆者はクラスでこんな質問をする。1、2、3、4から好きな数字をひとつ選ばせるのだ。ヒントも条件も何もない。みなさんもひとつ選んでいただきたい。日本でもアメリカでも同じような結果になる。

　まず、一番少ないのが1と4である。これには理由がある。1も4も端にある数字で、端はリスクの高いポジションという知覚が働くのだ。対して、中間にある2、3はリスクの低い安全な選択なのである。日本でもアメリカでも、リスクテイカーは少数派なのだ。残る2と3のうち、圧倒的に多いのは3である。これには3は丸みを帯びているので形状が魅力的であるという説があるが、はっきりとはわからない。プロダクト・ライン・プライシングを実践すると同じような結果になる。3に位置する価格帯が一番よく売れるのである。

　次はリファレンス・プライシング（Reference pricing）である。これも店でよく使う。売りたい商品の横に、同じようなスタイルで価格の高い商品を並べるのだ。顧客はその商品の価値を吟味できないので、参

> 考になるような商品を横に置いて比較させるのだ。あるカタログで自動パン焼き器を＄279で売り出したそうだ。次の号で隣に＄429のデラックス版を合わせて紹介したところ、＄279の商品の売上げは倍に上がったそうである。(**Ⅳ**)

i　Michael Solomon, Consumer Behavior : Buying, Having, and Being（Upper Saddle River : Prentice Hall, 2002）p.277
ii　サントリー：敗者は必ず進化する。日経ビジネス（2004年12月13日）: pp.32-34.
iii　John Gourville and Dilip Soman, Pricing and the Psychology of Consumption, Harvard Business Review（September 2002）: pp.90-96.
Ⅳ　Barry Schwartz, The Paradox of Choice : Why More is Less（New York : Harper Collins, 2004）: p.62

第14章

購買と購買後評価

あなたは、顧客とどのように
リレーションシップを結ぼうとしていますか？

1 期待不一致モデル (The Expectancy Disconfirmation Model)

ポジティブな感情が顧客ロイヤリティに結びつく

　マーケティングの最大の目的は顧客満足にあることは冒頭で述べた通りだ。それでは顧客満足とは何だろう。どのような時、顧客は満足するのだろうか。客には、購入する商品が、いかに機能すべきかという基準がある。それが期待値である。その期待値を基準にして実際のパフォーマンスを評価するのだ。

　期待以下であれば、負の不一致が起こり、不満足が引き起こされる。その度合いによって、不安、失望から怒りまでさまざまな感情が生まれる。期待通りの働きであれば、可もなく不可もなくということで、特に客の印象に残るような結果にはならない。単なる期待値と実質値の一致では満足を与えることはできないのだ。期待以上の働きがあれば、客は大いに満足し、嬉しい、うきうきするというようなポジティブな感情が芽生える。このポジティブな感情がロイヤリティに結びつくのだ。

$$
実質値 - 期待値 = \begin{cases} ＋ （正の不一致） \\ ± （一致） \\ － （負の不一致） \end{cases}
$$

A．WOWファクター

　客が思いもつかないような機能やサービスを付加することで、正の不一致が起こる。客を満足させるには、「あっ」と言わせるような仕掛けが必要なのだ。英語で驚いたときに「WOW」ということから、客を驚かせるような商品特徴やサービス内容を"WOWファクター"と呼ぶことがある。

　MBAの生徒がこんな話をしてくれた。フロリダのディズニーワールドに行ったときのことだ。閉館間近まで遊んでいたので、シャトルバスの乗り場は、ホテルまで帰る人でごった返していた。これは1時間は待たされるな、と覚悟していたら、次から次へとバスが現れ、ものの10分もしないうちにバスに乗ることができたそうだ。くたくたに疲れていた客にとって、期待以上のサービスに感動したことだろう。一方、次の日に他のパークを訪れ、同じようにシャトルバスを待っていたが、こちらは相当な時間待たされたとのこと。ディズニーの経験で係留基準が上がっていたので、なおさらがっかりしたに違いない。

　どんなに楽しい思いをさせても、終わりよければ全てよしとならなければ、客の満足は得られない。脳には最後に起こったことが最も強く記憶されやすいのだ。客の立場で両パークを訪れれば、欠点がすぐに見えそうなものだが、何らかの足かせがあって改善できないのだろう。しかし、マーケティングは細かな努力の積み重ねであることを忘れないでほしい。100本ヒットを打っても、1つのエラーで客を不満足にしてしまうのだ。そして、どの業界にも致命傷となるエラーをしない競争相手が存在するのである。

B．期待値

　顧客は製品やサービスを購入する前に、ある程度の期待感を持つ。その期待は過去の経験、価格、ブランドイメージ、原産国イメージ、販売店のイメージ、競合品の品質、広告・宣伝のメッセージなどによって作られる。例えば、日本車とかドイツ製と聞けば、他のインプットがなくても、多く

の消費者は高い信頼性を期待する。

　適度な期待を持たせることで、全く期待していない場合より商品の評価は高くなるというリサーチ結果がある。ある程度の期待感は必要不可欠なのだ。ここが難しいところだがうまいことを言って過大な期待を抱かせると、客を呼ぶことはできても、不満足を引き起こす原因となる。5キロ痩せるはずの商品を試して体重が変わらなかったら、その客は確実に失うだろう。しかし、"5キロ痩せる"という商品で10キロ痩せるようなことはあまり起きない。それは、企業は期待値を高めるために、実際の性能より劣るデータを宣伝に使うことがないからだ。客を惹くためには期待値を適度に高めなければならないが、過大な期待を抱かせれば客は失望し、失望した客は二度と戻ってこない。企業はこのようなジレンマに陥ることがよくあるのだ。

　WOWと言わせるひとつの方法として、WOWファクターを製品の基本的性能に求めずに、周辺部分で見出したらどうだろう。スペックを精査して購入した客が、製品の基本性能に驚いて「WOW」と言うことはまずないだろう。しかし、車ならスイッチの剛性感とか、使いやすさとか、長時間座っても疲れないシートとか、パソコンならキーのタッチとか、誤操作を防ぐスイッチの配置とか、カタログに載せないようなところで工夫している商品がある。周辺部分とは、パッケージでも付属品でも構わない。顧客は隠れたメーカーの心遣いに感動したりするものである。例えばカバンの内側や洋服の裏地に凝ったデザインが施されていたりするのも、客を喜ばせる。

　WOWファクターは期待値が低いところで最も作りやすい。例えば、トラブルがあったときのカスタマーサービスの対応、修理のスピードなどに驚くことはある。また、競合相手の弱点を研究して、それを自社の強みにする方法も考えられる。先のディズニーの例だが、もしライバルパークに先に行ってさんざんバスを待たされた後にディズニーの迅速サービスを受けたら、驚きとともに「さすがディズニー」と感心さえされたはずだ。

　過度の期待をさせないようにと、あらかじめ余裕を持たせた約束をすることがある。しかし、これも気をつけなければいけない。筆者はこんな経

験をした。オンラインでパソコンを購入したところ、ずさんな梱包が原因で付属品の電池が破損していた。早速、電話で交換を要請した。非は先方にあるし電池なしでは使用できないので、当然のこととして、翌日配達を期待した。ところが、返ってきたのは「3日以内には発送できます」という答えだった。かなり食い下がったが、相手はメーカーがアウトソースしているコールセンターのオペレーターで、マニュアル以外の返答はできないのだ。

　実際には、電池は翌日に配達されてきた。メーカーは余裕をもってマニュアルを作ったのだろうが、客の気分を相当害したのは紛れもない事実である。この場合、翌日配送を約束して、翌日配送する以外に満足させることはできないだろう。WOWファクターとか顧客の満足・不満足は人に負うところが大きい。何事も客の立場に立って、自分ならどうしてほしいか、どこまで我慢できるか、どうなったら不満足になるか、シミュレーションをしてみることである。

Column 12

品質を評価する尺度

　消費者が商品価値を評価するのに、対象要因となるのが品質だ。品質と一言で言っても、これは極めて抽象的な単語である。品質にはさまざまなディメンションがあるからだ。まず、製品の品質には下記の要因がある：

　①性能（performance）：スピード、容量、馬力、正確さなど
　②信頼性（reliability）：故障の発生率
　③耐久性（durability）：製品自体、各部品の耐久性
　④機能性（functions）：機能の有無と各機能の重要性
　⑤精密性（precision）：スペック通りに作られているか
　⑥修理可能性（serviceability）：メンテナンスはしやすいか
　⑦外見（aesthetic）：見た目の質感、重量、サイズなど

　サービス品質を測定するのは、手に取ることができないし、実際に経験しても他との比較をしにくいので困難を極める。サーブコール（SERVQUAL）は、1988年にパラスラマン、ザイサマル、ベリー（Parasuraman, Zeithaml, and Berry）によって開発されたサービスの測定尺度である。同モデルでは、顧客がサービス品質を判断する要素として以下の5つを抽出した。

①有形性（tangible）：物理的な施設、設備、道具、従業員の外見など
②信頼性（reliability）：顧客との約束を正確確実に提供する能力
③反応性（responsibility）：迅速にサービスを提供しようとする意思
④確実性（assurance）：従業員の知識、技術、礼儀正しさ、そして信
　　　　　　　　　　　頼や自信を伝える能力
⑤共感性（empathy）：客の立場で考える能力

2 満足した客と不満足な客

1人の不満足は66人に伝播する

　顧客満足が得られれば、リピート購買、ブランド・ロイヤリティ、口コミにつながる。新規顧客開拓にかかるコストは、リピート購買を促すコストの5倍から7倍と言われている。新規の客を呼び込むには、宣伝をしなければならないし、クーポンなどのセールス・プロモーションで購入の動機を与える必要もあるだろう。しかも、データの蓄積がないので、広告宣伝のメッセージを考えるのも容易ではない。

　筆者も店舗経営をしているので、新規顧客開拓の難しさは嫌というほど経験している。店に来る客には販売をすればよいが、店に来させるためには営業をしなければならない。マーケティングの教科書に書いてあるように、広告を出せば客が集まってくるわけでは決してない。足を使って客を集めてこなければ集客などできないのだ。PR活動、関連企業との提携、イベント開催、イベント参加、ビラ配りなど、地道な努力が実を結ぶのである。それだけにリピート客の存在はありがたい。

　近年、企業は顧客の生涯価値（lifetime value）を計算するようになった。例えばあるホームセンターでは、1人の客が平均＄50の買い物をするという。1人の客は、平均月に2回来店するので、年間＄1200の売上げになる。その客が20年間通えば、その客の生涯価値は＄2万4000ということだ。もし、店員がその客を怒らせたら、＄2万4000の商いを失うことになる。

　それだけではない。満足した客は7人にそのことを話すが、不満足な客はそれを11人に話し、11人それぞれがさらに5人に話すと言われている。この計算だと、1人の不満足が66人に伝播するのだ。このネガティブ口コミも最近はインターネットで行われるので、たかが客1人と侮ることはで

きない。顧客維持率が5％上がれば、その企業の利益は25〜85％上がると言われるゆえんだ。

満足も不満足も"人"によって引き起こされるのだ。製品の品質が原因で購買を止める客は14％、残りの86％は店員や係員の態度の悪さが原因である。アメリカのスーパーマーケットでは、レジの対応の悪さが原因で、毎年20％の客を失うという統計もある。しかし、その第一線で働く"人"の雇用、教育にはほとんど注力しないのが現代の企業だ。

A．不満足行動（Complaint Behavior）

さて、不満足な客はどのような行動を取るのだろうか。不満足行動には5つのタイプがある。

1　何もしない

最も多いのが、何もしない客である。あるリサーチによれば、製品やサービスに不満足であっても96％の客は何も言わない。だまって次からはその商品を買わないのだ。このサイレント顧客からは、不満の声を拾うことができないので、企業にとっては一番困るタイプである。

2　直談判

直接、苦情を寄せる客がサイレント顧客の次に多いタイプだ。苦情を寄せる客は、カスタマーサービス係の対応によって忠実な顧客になることがよくある。最近、企業は客が寄せる苦情を負担ではなく好機であると捉えている。

3　第三者に通告

また、消費者組合や行政府、あるいはマスコミに出来事をリークする客もいる。アメリカでは、視聴者の苦情をもとに取材を行うニュース番組が数多くある。マスコミが悪徳業者を弾圧するのだ。このような番組で取り上げられたら、評判は地に落ちることは自明である。

4　ボイコット

　回りの人にネガティブ口コミを振りまく客も多くいる。中には、組織だってボイコット運動を行う客までいるのだ。このようなヒステリックな客には関わりたくないのが本音だろうが、彼らを過激な行動に走らせる原因は人によるところが多い。相手を刺激しないような接客態度が求められるのだ。また、日本の総会屋ではないが、企業の弱みに付け込むような団体もいる。日頃から透明性のある経営を心がけなければならない。問題が起こったときに身の潔白を証明できるような書類の整理などは、平時から行うべきなのだ。訴訟の多いアメリカの企業は、この辺の準備体制が整っているし、末端の社員に至るまで不正につながりそうな行動を取らせない仕組みも構築している。

5　起業

　最後に、不満足が原因で、自分でビジネスを起こす起業家もいる。トラクター事業で成功したランボルギーニは、もともとフェラーリの顧客だった。ある日、クラッチに不具合が生じたので、パーツを注文したところ、送られてきたパーツは自社のトラクターについているのと同じものであるにもかかわらず10倍も高い値段がつけられていたのだ。そこで、エンツォ・フェラーリに苦情を言ったら、「農器具屋にフェラーリを批判する権利はない」と突っぱねられた。それが原因で自分で車を作る決心をしたのだ。そこで生まれたのが、ランボルギーニ350ＧＴというスーパーカーである。ビクトリアズ・シークレット、ＧＡＰなども不満足が原因で起業した会社だ。

B．問題の本質（Root Cause）

　顧客の不満を引き起こしたなら、どうして、いつ起こったのか、何が原因なのか徹底的に追及しなければならない。表面的な繕いをしても、また同じ間違いを犯すだろう。問題の根っこまで掘り下げなければならない。

それには「なぜ」を繰り返すのだ。

　例えば、「商品が使いにくい」という苦情が数多く寄せられたとしよう。商品のデザインを提案通りに変えることは必須であるが、それだけでは十分でない。他の商品でも同じような過ちを犯すかもしれない。どうしてそのようなデザインのまま売り出してしまったのかを、分析する必要があるのだ。

　十分な使用テストをしなかったことが原因かもしれない。それならば、どうして満足なテストをしなかったのか、あるいは出来なかったのかを問わなければならない。発売まで時間が迫っていた、とかテストに必要な機材、人材がいなかったとか、原因があるだろう。時間に余裕を持たせるにはどうするべきか、機材があればテストができるのか、人を雇う必要があるのかなど、経営の本質に迫ってこそ問題解決の糸口が見えてくるのだ。

C．苦情とコンプレーナー（Complaints and Complainers）

　苦情は3つの要素で成り立つ。第1に苦情を引き起こす動機がある。支出（インプット）に対して受ける利益（アウトプット）が著しく劣っていれば、その度合いに応じて動機が高まる。また、問題が深刻であればあるほど動機は高くなる。第2に購買者の時間がある。不満に思っていても、手紙を書く時間、電話で話をする時間がなければ、苦情は寄せない。最後が苦情を企業に伝える媒体の有無である。媒体が簡単に利用できればできるほど、苦情を言いやすくなる。

　近年、どの会社でもコールセンターを設立したり、電子メールによる質問や苦情を受けたりして苦情を言いやすくしている。もちろん企業にとって苦情を拾うことはプラスにこそなれ、決して悪いことではない。しかし、コンプレーナーと呼ばれるような、苦情を言うことに生きがいを感じているような消費者を勇気づける結果にもなっている。

　正当な苦情も、不当なコンプレーナーから寄せられる苦情も、どちらも真摯に聞く態度は大切である。客は不満を誰かに話すことでずいぶんと心が和らぐ。電子メールや手紙による苦情には、迅速に対応することが欠か

せない。電子メールなら、即座に受け取りの確認をオートリプライでもよいから流すべきだ。そして、回答に与えられる時間は長くて24時間である。3日以内に回答しますというようなメッセージを流したら、それだけで信用を失ってしまうだろう。

　不当な苦情に対して返答はしても、その問題を解決する義務はない。例えば、客の過失による製品の不良までメーカーが責任を負う必要はないのだ。このような苦情を防ぐためにも、企業がすべきこと、できないことを事前に明白にしておく必要がある。多くの苦情は不明瞭が原因で引き起こされるのだ。

　繰り返すが、対応は感情的にならずに丁寧に、そして真摯な態度で接することを忘れてはならない。アメリカでは医療ミスに対する訴訟が数多くなされる。あまりに件数が多いので、医療ミス保険の掛け金が高くなり、それを払えずに廃業する医師もいるほどなのだ。さて、訴訟の原因は医療ミスであるが、動機となるのは医師の態度なのだそうだ。[ⅰ]患者を患者とも思わぬ居丈高なしゃべり方が、訴訟の動機となるそうである。

3 リレーションシップ・マーケティング

ブランドを内在化させる最後の手段は人

　顧客満足を得られればそれで十分なのであろうか。あるデータによれば、客の65%から85%は、満足していても他社の製品を試すという。[ii] どれを買っても差異はないだろうとか、他のブランドならもっとよいかもしれないと考えるのだろう。

　10章の態度の項で説明したように、客の態度が応諾レベルでとどまっている場合にブランド・スイッチが起こりやすい。客は製品がよいから買う、安いから買うというレベルでは、他にもっとよさそうな商品が現れたらそちらに向かうのである。企業はもう一歩掘り下げて、満足した顧客をつなぎとめる工夫をしなければならない。

　一般的な方法として、多くの企業が得意客に特典を与える努力をする。航空会社のマイレッジプランがその典型的な例だ。ポイントカードを発行している小売店も多数ある。定期的に電子メールを配信したり、ホームページにパーソナライズする機能を加えたり、オンライン・クーポンを配布したり、技術的にはさまざまな手段を講じることができる。近年、インターネットを使ったeリレーションシップも盛んに行われている。しかし、これらはどの企業も行っていることだ。一般的な消費者は、ポイントカードなど何枚も持っているだろう。

　真のリレーションとは何かを考えてほしい。顧客にこの店でなくてはならない、このブランド以外は買いたくない、と思わせるには何が必要なのであろうか。ブランドを内在化させるには何をすればよいのだろうか。どんな理論を用いようが、技術を駆使しようが、最終的には"人"である。マーケティングとは、人の信頼の上に成り立っていることを忘れないでほ

しい。不満足が人によって引き起こされれば、リレーションシップも人で成り立つのである。

　ホームページが使いにくければ不満材料になるが、気の利いたページを作っても客に感動を与えることは難しい。しかし、人対人であれば、一言言葉をかけるだけで、それが一生忘れない経験になったりもする。ビジネスにトラブルはつきものである。そのトラブルにどのように対処するかで、信用を得るか失うかの境目になるのだ。

　客は困っているから、質問をしたり苦情を寄せたりする。その時に、「客の立場に立って親身に対応してくれた」と相手が感じるかどうかが問題なのだ。親身に対応するとは、通常業務では行わない手間やコストのかかる作業をすることである。それを喜んですることである。英語でエキストラ・マイルを行く（go the extra mile）と言うが、客のためにエキストラ・マイルを行けるかどうかが問題であり、それが信用となり絆となるのだ。

[i] Malcom Gladwell, Blink.（New York：Little, Brown, 2005）p.40.
[ii] Wayne D.Hoyer and Deborah J.Macinnis, Consumer Behavior 2nd ed.（Boston：Houghton Mifflin, 2001）p.291.

あとがき

　筆者がアメリカのビジネススクールで教鞭を取って20余年になる。以前はよく、ビジネス教育とは何なのかと考えた。本当に教室で教えることが実践で役に立つのだろうか？　ビジネスのクラスを取ればより優れたマネージャーになれるのだろうか？　教えていることは有意義なのだろうか？　このような疑問に自答したものである。今では「授業の内容は実践に役立つ」と明言できる。

　教科書や教室で習う理論とは大工にとっての「金槌」や「のこぎり」のようなものだ。ただし、道具なしに大工仕事はできないが、マーケティング理論なしに経営をすることはできる。実践で培った経験・勘・人脈を頼りに与えられた仕事をこなすことはできるのだ。それではどうしてビジネスの道具が必要なのだろうか。簡単に言えば、道具があれば仕事の効率も精度も向上するからだ。道具を使えば的が見えやすくなり、的に命中する確率も高くなるのである。天才経営者の「直感」を分かりやすく解読したのが「経営理論」なのだ。

　職業柄、さまざまな企業を見るが、経営者でもマーケティングのことをまるで理解していないなと感じることがよくある。顧客中心主義やリレーションシップ・マーケティングなどの大まかなコンセプトを頭で理解しているかもしれない。だが、商品企画、プロモーション戦略、販売戦略などの実践にはまるで役立てていないのだ。戦略プランすら立てずに事業を始める経営者も数多くいる。部下は何の拠り所もなくプロジェクトを進行させなければならない。

　個々の戦略に道筋をつけるのが、理論であり過去の事例を扱ったケーススタディである。本書で紹介した理論は、標的となる消費者を知るための

道具であり、これらの知識があるかないかで消費者理解に差が出ることは自明だ。また、ビジネススクールで扱うケーススタディでは理論をどのように使うかを学ぶことができる。

ただし、本を読むだけで優れた経営者になれるわけではない。100冊読んでも1000冊読んでもそれは叶わないだろう。読んで納得した事項はノートに書き留めて欲しい。次はその書き出した道具を使って訓練をするのだ。マーケティングは日常生活と密着しているので、日頃目にする広告、パッケージ、ウエブサイトなどを分析してもよいし、新聞・雑誌・書籍で読む企業戦略を分析してもよい。店舗にいる買い物客は格好の勉強材料だ。最終目的はマーケティング理論を実際の戦略に取り入れることである。理論を元に戦略を立てることもあるし、立てた戦略を理論で正当化したり、コミュニケーションの補助に使ったりもできる。

このような訓練を繰り返す内に、マーケティングに対する意識が高まり、そこから世界がどんどん広がるはずである。意識が高くなるということは、アンテナが高くなると言うことだ。つまり、幅広く情報を吸収し、戦略の糸口を見つけ出し、的確な戦略を導き出す能力が身につくのである。

先日、コンサルティングをしている企業で担当者のブリーフィングを受けた。KPIやPDCAなど流行り言葉が多用されていたが、的を射るような内容は乏しかった。ターゲット顧客の描写が表層的で競合する大手企業との差異化が図られていなかったのだ。関係者全員がどのような顧客をターゲットにしているかは理解していたのだが、それを「言語化」することができなかった。

「言語化」するには、的確な分析が欠かせない。担当者は属性や趣味などでペルソナを描いたのだが、もっと別の切り口で深い分析をする必要があったのだ。そこで筆者は、言語化に至らない担当者のモヤモヤした顧客像を分析し、イメージにピッタリ合う有名人を思い浮かべて、「ターゲット顧客は有名人で言えばＸＹＺさんですよね」と言った。その場にいた全

員が納得してくれた。そこから、ＸＹＺさんの特徴を洗い出すことで、ターゲット顧客のイメージ、商品の訴求ポイント、メディア選択などスムーズに導き出されたのだ。ターゲットは「ぽっちゃり型の若い女性」とか「価格に敏感な主婦」とか、もっともらしいがこのような抽象度の高い描写では戦略には辿り着けない。道具を使ってさらに深いところに切り込まなければならないのだ。

　本書一冊ではマーケティングの一部しか語れない。教育の目的はきっかけを与えることである。本書が読者のマーケティングへの扉を開くことを願ってやまない。

　末筆になるが、重要なことを付け加えておきたい。現代の消費者はリテラシーが高いので底の浅いマーケティング手法は見透かされてしまう。筆者は３つの単語を常に意識してマーケティングを行っている。Honesty, Authenticity, and Integrity（正直、正真正銘、誠実）の３つである。情報化の時代では嘘も誇張も見透かされる。
　また、偽りの姿も通用しない。熱意を持って本気で取り組んでいることしか相手には伝わらないのだ。顧客価値より企業利益を優先させるような不誠実な企業や経営者はやがて淘汰される。信念と戦略を両輪として経営に励んでほしい。

　　2023年5月

　　　　　　　　　　　　　　　　　　　　　　　　　　平久保仲人

[著者]

平久保仲人（ひらくぼ・なかと）
ニューヨーク市立大学ブルックリン校経済学部マーケティング准教授。
1995年、ペース大学商学部博士課程修了。アメリカ技術移転協会マネージャー、ウインマックス社（ニューヨーク）副社長、セント・ピーターズ大学助教授を経て現職。専門はマーケティング戦略・消費者行動論・Eーコマース・イノベーション。著書に「マーケティングを哲学として経営に取り入れるということ」（日本実業出版社）、「ＭＢＡマーケティング」（日経ＢＰ社）、「アメリカの広告業界が分かればマーケティングが見えてくる」（日本実業出版社）がある。

株式会社ビジネス・ブレークスルー（http://www.bbt757.com）大前研一総合プロデュースのビジネス専門チャンネル。ビジネスの基礎からテーマ別講座まで、大前研一をはじめとした一流の講師陣が最先端のビジネス情報、経営ノウハウを提供。4000時間の日本で質料ともに最も充実したマネジメント系コンテンツを持ち、新人から経営トップまで目的に応じて継続的に学べる豊富なサービスを提供している。

消費者行動論
なぜ、消費者はＡではなくＢを選ぶのか！

2005年 5月19日　第1刷発行
2023年 5月26日　第17刷発行

著　者――平久保仲人
発行所――ダイヤモンド社
　　　　〒150-8409　東京都渋谷区神宮前6-12-17
　　　　https://www.diamond.co.jp/
　　　　電話／03・5778・7233（編集）　03・5778・7240（販売）
装　丁――――重原　隆
本文レイアウト――タイプフェイス
製作進行――ダイヤモンド・グラフィック社
印刷・製本――ベクトル印刷
編集担当――高野倉俊勝

Ⓒ2005 Nakato Hirakubo
ISBN 4-478-50254-4
落丁・乱丁本はお取替えいたします
無断転載・複製を禁ず
Printed in Japan

ビジネス・ブレークスルー

TEL:03-3239-0662　www.bbt757.com

大前研一総監修の双方向ビジネス専門チャンネル：ビジネス・ブレークスルーは、世界最先端のビジネス情報と最新の経営ノウハウを、大前研一をはじめとした国内外の一流講師陣が、365日24時間お届けしています。

BBTのe-learningで今日から始めよう！

スカイパーフェクTV！　757ch
●ビジネス基礎・テーマ別講座●MBAコース●経営管理者育成プログラムほか
すべての番組の中から、ニーズに応じて視聴が可能です。

BBTが誇る超人気番組！

大前研一アワー
大前研一が国内外で行う講演の模様や、世界のトップ経営者との対談番組、自ら現地へ赴いての海外レポートなど、ダイナミックでリアルタイムなビジネス情報を美しい映像でお届けするスペシャルアワーです。

大前研一ライブ
大前研一が毎週2時間、世界と日本でその1週間に起こったニュースを独自の観点から解説。マクロな経済情勢と最新の企業経営をテーマにお送りする大前研一のライブ放送はBBTが誇る超人気番組です。会員になると大前研一に質問もできます。

ビジネスのエッセンスが満載
経営戦略、マーケティング、組織・人事、コンサルティング営業、財務・会計、IT、イノベーション、起業・新規事業etc、さらにロジカルシンキングのシリーズなど見どころが満載です。

ボンド大学大学院―BBT
MBAプログラム

全国どこでも、自宅で有名講師のMBA講義を受講できる！

衛星放送/BB放送　＋　インターネット　＋　ワークショップ

いまからリカバリーを始めて、プロフェッショナルを目指そう！

■BOND-BBT　MBAプログラムとは
各分野で活躍する気鋭の経営コンサルタント、経営者、著名なビジネススクール教授の講義がそのままTVで受けられる。世界レベルのビジネス・リーダー迫真の講義と指導、そしてクラスメートとの議論を通じて、2年間で飛躍的に実力を鍛える渾身のビジネス・プログラム。

■プログラムの特長
・働きながら、自宅で正式な学位（MBA／経営学修士号）を取得
・密度の高いコミュニケーションで、通学以上の学習環境
・約50％を占める英語講義には、講義字幕を提供。英語力を徹底養成

お問合わせ・資料請求
プログラムについて、もっと詳しい情報をご希望の方はいますぐこちらへアクセス
ビジネス・ブレークスルーBond-BBT MBA事務局　0120-386－757
資料請求者に限定「（無料）映像講義」を進呈！→http://www.bbt757.com/bond

大前研一のアタッカーズ・ビジネススクール
東京・通信科にて4、10月の年2回開講【個人対象】

Attackers Business School

起業家養成学校として96年設立。現在では既存の考え方を変革し意欲的に新しい一歩を踏み出そうという方々にチャンスのステージを提供している。第一線で活躍する講師陣を通して検証されたプログラムバックアップの仕組み、そして3800名を超える卒塾生ネットワークから実践に即した人脈構築が可能。事業創造の必須要素を短期間（4ヶ月）で獲得することができる。

http://www.attackers-school.com/

コーポレート・アントレプレナー育成部
アントレプレナー人材×事業創造を御社内で実現

Attackers Corporate Entreprenuer

株式会社ビジネス・ブレークスルーのアントレプレナー型人材育成部門であるアタッカーズ・ビジネススクールは10年にわたり、人材育成、事業創出サポートを実施している。このノウハウを元に「企業内リソースを十分活用し、マインドとスキルの統合から生まれる新しい事業を創り出すコーポレート・アントレプレナー人材」の育成を実施。

http://www.attackers.ne.jp/corporation/
東京都千代田区六番町1-7　Ohmae@workビル　電話:03-3239-1410

「経営者としての準備は万全ですか？」
大前研一が毎日、直接指導する　**大前経営塾**

大前経営塾とは、日本企業の最重要課題や経営者として求められる能力について、大前研一の講義や実際の経営者の話を収録したビデオとテキストをご覧頂き、その内容について徹底的に議論するものです。大前研一他一流講師陣、他企業の経営幹部との議論を通じ、経営者としての物の見方・考え方、能力を1年間かけて磨き上げていきます。

- 「中国問題」、「V字回復」など現代の経営にとって最重要な問題にフォーカス。
- 成功した経営者の実際の話より経営者としての物の見方、考え方が身につく。
- 大前研一他、著名な講師人より直接指導が受けられる。
- 「経営」という同じ志を持った他社の経営幹部と他流試合ができる。
- 時間や場所の拘束が無く、忙しい仕事の合間に無理なく学べる。
- 衛星放送ビジネス・ブレークスルーで経営者として必要な知識も同時に身につく。

受講期間：1年間　毎年4月／10月開講
特典：ビジネス・ブレークスルー1年間視聴とスカパー受信機器をプレゼント！
　　　大前研一通信を1年間無料購読ほか、セミナー＆人材交流会にご招待！

お問合わせ
ビジネス・ブレークスルー「大前経営塾」事務局
東京都千代田区五番町2-7五番町片岡ビル/電話:03-3239-0287
メール:keiei@bbt757.com　URL:http://www.bbt757.com/keiei

問題解決力を鍛える！
大前研一総監修
経営管理者育成プログラム

本プログラムは、事実に基づいた論理思考によって本質的問題を発見し、その解決策を立案し成果を出す「問題解決スキル」を効果的に身につけることを目的としています。開講以来3年半ですでに3000名以上の方が受講され、修了生からは「仕事のパフォーマンスが上がった」「業績が向上した」「起業に活かせた」などの高い評価を得ています。

本質的問題「発見」コース

結果を出しているビジネスパーソンが実践する問題解決のプロセスは「本質的問題の発見」「解決策の立案」「解決策の実行」の3ステップに大きく分けられます。このコースでは特に「本質的問題の発見」のステップに焦点を当て、情報の集め方から分析の進め方、そこから見出された客観的事実に基づいて「本質的問題」をまとめ上げる技法、そして人を説得するためのロジックの組み方と効果的なプレゼンテーションの進め方など、あらゆるビジネスに即役立つ実戦的スキルの習得を目指してトレーニングしていただきます。

本質的問題「解決」コース

本質的問題を解決するための鍵は、どのような方向で解決策を立案すべきか（戦略的自由度）を明確にすることと、検証された解決策を問題解決に関わる全ての人に説明し、実行と成果にコミットさせることです。このコースは問題解決プロセスの「解決策の立案」のステップに重点を置き、業務施行上の課題の解決から、業績向上が確信できるようなビジネスプランの立案とプレゼンテーションまでのスキル習得を目指して、具体的なケースを使用してトレーニングを進めていただきます。

役員研修コース

経営についての"ブラインドスポット"があっては的確な意思決定はできません。このコースは、トップマネジメント、或いは全社的視点でプロジェクトを推進される方に、ご自身のマネジメント能力を総点検していただき、経営についての"ブラインドスポット"を無くしていただくためのコースです。研究開発、生産、営業、ITなど、ビジネスの主要な機能を網羅した分野別の講座で構成されています。会社全体の動きを捉え、どこでどのような事態が起きているのかを的確に理解し、それを迅速な意思決定に結びつけるというトップマネジメント必須の力を実戦的な事例と演習を通して徹底的にトレーニングします。

無料メールマガジン【大前研一ニュースの視点】　登録受付中

日本や世界の動きを理解する上でキーとなる最新のニュースや注目企業の動向を大前研一流に鋭く分析！　そして大前研一の論理的な思考方法で、現象の背景にある構造、因果関係、本当の原因、その現象を突き動かしている原動力、さらに私達にとっての意味合いに迫ります。論理的思考を磨く題材としてもご活用ください。

● プログラムの詳細、メルマガご登録はこちら
http://www.LT-empower.com/

お問合わせ
問合せ先／株式会社ビジネス・ブレークスルー　経営管理者育成プログラム事務局
フリーダイヤル：0120-48-3818　E-mail：info@LT-empower.com

THE OHMAE REPORT

「あなたにも隠れた真実がみえてくる!」
大前研一の発信を一冊に凝縮
大前研一通信

ビジネス情報、政治・経済の見方から教育、家庭問題まで、大前研一の発信を丸ごと読める唯一の会員制月刊情報誌(A4判、約40ページ)。大前研一も参加する、ネット上のフォーラム(電子町内会)も開設しており、併せて加入すれば、きっと、マスコミでは分からないものの見方や考え方が自然に身についていくでしょう。2003年、2004年版の各年度CD-ROM縮刷版も同時リリース!ブロードバンド環境の方なら、立ち読み(抜粋)やバックナンバーのチェックも可能です!

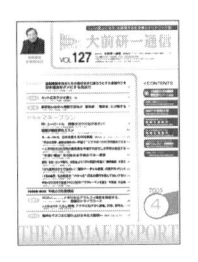

＜大前研一通信＞お問い合わせ・資料請求
フリーダイヤル：0120-146-086　　FAX：03-3263-2430
E-mail：ohmae-report@bbt757.com　　URL：http://ohmae-report.com

ビジネス・ブレークスルー大学院大学
経営学研究科　経営管理専攻
2005年4月開学

Kenichi Ohmae Graduate School of Business

日本初、遠隔教育による経営大学院、文部科学省認可のMBA（経営管理修士）授与

大学院概要
名称：ビジネス・ブレークスルー大学院大学
学長：大前　研一
研究科の名称：経営学研究科　経営管理専攻
学位：経営管理修士　MBA (Master of Business Administration)
修業年限：標準2年（在学年限5年）
入学金：10万円、
授業料：初年度120万円、2年次120万円
入学時期：春期（4月）及び秋期（10月）の年2回の入学受付
入学定員：各期41名
入学試験内容：【1次選考】書類審査
　　　　　　　【2次選考】口頭試問

働きながら遠隔教育でMBAを取得

サイバークラスルームで議論し、論理思考力を徹底強化

オンディマンド・ブロードバンド受講での24時間型学習

資料請求、説明会申込、お問合せ
ビジネス・ブレークスルー大学院大学　事務局
電話：03-3239-0286　　E-mail：bbtuniv@ohmae.ac.jp
URL：http://www.ohmae.ac.jp　＊説明会への参加はホームページで事前申込が必要

◆ダイヤモンド社の本 ◆

サッカー型自立組織の構築をめざせ！

組織人事分野の第一人者が、これからの企業社会に求められる自立組織の構築と次世代リーダーシップのあり方を説く。

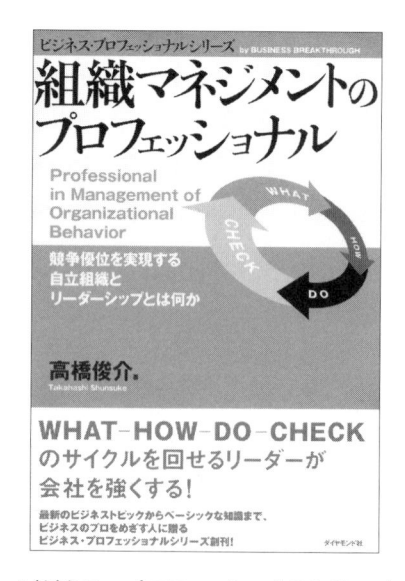

ビジネス・プロフェッショナルシリーズ
組織マネジメントのプロフェッショナル
競争優位を実現する自立組織とリーダーシップとは何か
高橋俊介 ［著］

● A5判上製 ● 定価（本体2000円＋税）

http://www.diamond.co.jp/

◆ダイヤモンド社の本 ◆

リーダーの危機感と使命感が変革への原動力となる！

企業が持続的な成長を遂げるためには変革は不可避である。日本における知識創造理論の権威の一人が、企業変革を成功に導くための方法論とそれに必要なリーダーシップのあり方を説く。

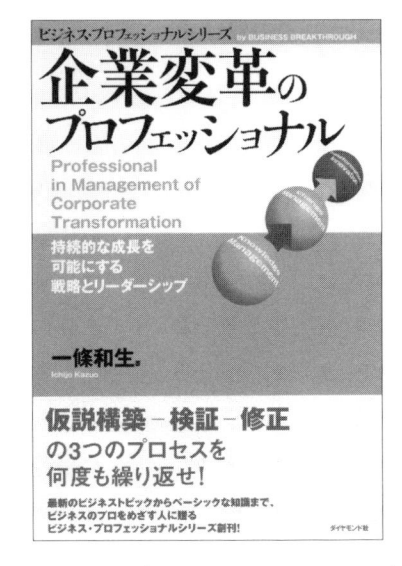

ビジネス・プロフェッショナルシリーズ
企業変革のプロフェッショナル
持続的な成長を可能にする戦略とリーダーシップ
一條和生 [著]

●A5判上製●定価(本体2000円＋税)

http://www.diamond.co.jp/

◆ダイヤモンド社の本◆

人材マネジメントの基本的な枠組を経営的視点から体系的に解説した最新テキスト

人事人材コンサルタントの第一人者が、企業ビジョン・事業ビジョンを実現するために必要な人材マネジメントのあり方を説く。

ビジネス基礎シリーズ
ヒューマン・リソース・マネジメント
ビジョンの実現を可能にする組織・人材マネジメントとは何か

高橋俊介 ［著］

●A5判上製●定価（本体2400円＋税）

http://www.diamond.co.jp/

◆ダイヤモンド社の本◆

組織論は、すべてのリーダーの必修科目である！

組織論をミクロとマクロの両面から考察。戦略を実現できる人と組織をいかにデザインするか、実践への指針を提示する再入門テキスト。

ビジネス基礎シリーズ
組織論再入門
戦略実現に向けた人と組織のデザイン
野田稔 [著]

●A5判上製●定価（本体2800円＋税）

http://www.diamond.co.jp/

◆ダイヤモンド社の本◆

プロフェッショナルの
コアスキルを磨け！

ロジカルリスニングとは、「論理思考」と「聞く技術」を統合したスキルのこと。コミュニケーションの質を高め、知的付加価値をもたらすビジネスパーソンの必須スキルである。

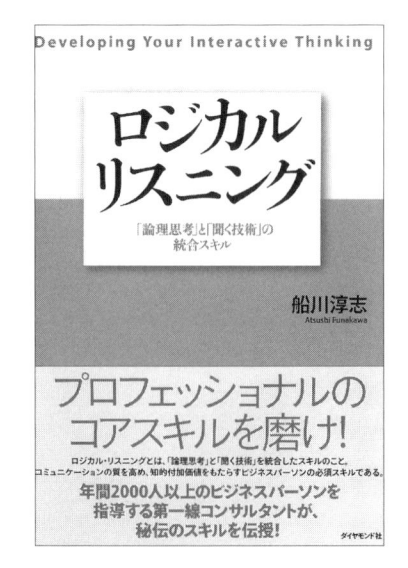

ロジカルリスニング
「論理思考」と「聞く技術」の統合スキル
船川淳志 [著]

●A5判上製●定価(本体2200円+税)

http://www.diamond.co.jp/